초등 수학 전문가가 만든 연산 교재

원리셈

3

6학년

• **비와 비율** •

지은이의 말

수학은 원리로부터

수학은 구체물의 관계를 숫자와 기호의 약속으로 나타내는 추상적인 학문입니다. 이 점이 아이들이 수학을 어려워하는 가장 큰 이유입니다. 이러한 수학은 제대로 된 이해를 동반할 때 비로소 힘을 발휘할 수 있습니다. 수학은 어느 단계에서나 원리가 가장 중요합니다.

수학 교육의 변화

답을 내는 방법만 알아도 되는 수학 교육의 시대는 지나고 있습니다. 연산도 한 가지 방법만 반복 연습하기 보다 다양한 풀이 방법이 중요합니다. 교과서는 왜 그렇게 해야 하는지 가르쳐 주고 다양한 방법을 생각하도록 하지만, 학생들은 단순하게 반복되는 연습에 원리는 잊어버리고 기계적으로 답을 내다보니 응용된 내용의 이해가 부족합니다.

연산 학습은 꾸준히

유초등 학습 단계에 따라 4권~6권의 구성으로 매일 10분씩 꾸준히 공부할 수 있습니다. 원리와 다양한 방법의 학습은 그림과 함께 재미있게, 연습은 다양하게 진행하되 마무리는 집중하여 진행하도록 했습니다. 부담 없는 하루 학습량으로 꾸준히 공부하다 보면 어느새 연산 실력이 부쩍 늘어난 것을 알 수 있습니다.

개정판 원리셈은

동영상 강의 확대/초등 고학년 원리 학습 과정 강화 등으로 교과 과정을 완벽하게 대비할 수 있도록 원리와 개념, 계산 방법을 학습합니다. 단계별 원리 학습은 물론이고 연습도 강화했습니다.

학부모님들의 연산 학습에 대한 고민이 원리셈으로 해결되었으면 하는 바람입니다.

지은이 천종현

원리셈의 특징

✅ 원리셈의 학습 구성

한 권의 책은 매일 10분 / 매주 5일 / 6주 학습

✅ 원리셈의 시나브로 강해지는 학습 알고리즘

초등 원리셈은

시작은 원리의 이해로부터, 마무리는 충분한 연습과 성취도 확인까지

✅ 체계적인 학습 구성

쉽게 이해하고 스스로 공부!
실수가 많은 부분은 별도로 확인하고 연습!
주제에 따라 실전을 위한 확장적 사고가 필요한 내용까지!
원리로 시작되는 단계별 학습으로 곱셈구구마저 저절로 외워진다고 느끼도록!

원리셈 전체 단계

 ## 키즈 원리셈

 ## 초등 원리셈

초등 원리셈의 단계별 학습 목표

원리와 연습을 모두 잡는 원리셈!!

학년별 학습 목표와 다른 책에서는 만나기 힘든 특별한 내용을 확인해 보세요.

● 1학년 원리셈

모든 연산 과정 중 실수가 가장 많은 덧셈, 뺄셈의 집중 연습
여러 가지 계산 방법 알기
덧셈, 뺄셈의 관계를 이용한 '□ 구하기'의 이해

● 2학년 원리셈

두 자리 덧셈, 뺄셈의 여러 가지 계산 방법의 숙지와 이해
곱셈 개념을 폭넓게 이해하고, 곱셈구구를 힘들지 않게 외울 수 있는 구성
나눗셈은 3학년 교과의 내용이지만 곱셈구구를 외우는 것을 도우면서 곱셈구구의 범위에서 개념 위주 학습

● 3학년 원리셈

기본 연산은 정확한 이해와 충분한 연습
곱셈, 나눗셈의 관계를 이용한 '□ 구하기'의 이해
분수는 학생들이 어려워 하는 부분을 중점적으로 이해하고, 연습하도록 구성

● 4학년 원리셈

작은 수의 곱셈, 나눗셈 방법을 확장하여 이해하는 큰 수의 곱셈, 나눗셈
교과서에는 나오지 않는 실전적 연산을 포함
많이 틀리는 내용은 별도 집중학습

● 5학년 원리셈

연산은 개념과 유형에 따라 단계적으로 학습 후 충분한 연습
약수와 배수는 기본기를 단단하게 할 수 있는 체계적인 구성

● 6학년 원리셈

분수와 소수의 나눗셈은 원리를 단순화하여 이해
비의 개념을 확장하여 문장제 문제 등에서 만나는 비례 관계의 이해와 적용
비와 비례식은 중등 수학을 대비하는 의미도 포함. 강추 교재!!

6학년 구성과 특징

분수와 소수의 나눗셈은 여러 가지 상황에서 원리를 알아보고, 연습은 단순화하여 충분하게 할 수 있도록 했고, 비와 비율은 단순한 연습 뿐 아니라 학생들이 어려워 하는 부분을 집중적으로 연습할 수 있도록 구성하였습니다.

원리

원리를 직관적으로 이해하고 쉽게 공부할 수 있도록 하였습니다.

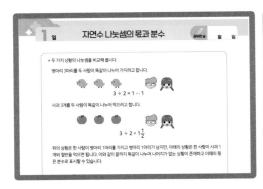

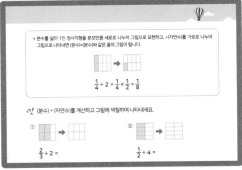

다양한 계산 방법

다양한 계산 방법을 공부함으로써 수를 다루는 감각을 키우고, 상황에 따라 더 정확하고 빠른 계산을 할 수 있도록 하였습니다.

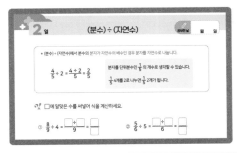

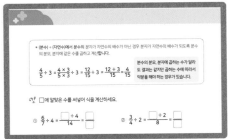

연습

기본 연습 문제를 중심으로 여러 형태의 문제로 지루하지 않게 반복하여 연습할 수 있도록 구성하였습니다.

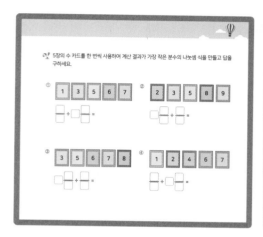

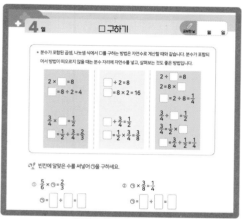

도전! 계산왕

주제가 구분되는 두 개의 단원은 정확성과 빠른 계산을 위한 집중 연습으로 주제를 마무리 합니다.

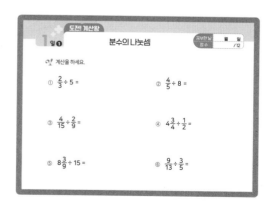

성취도 평가

개념의 이해와 연산의 수행에 부족한 부분은 없는지 성취도 평가를 통해 확인합니다.

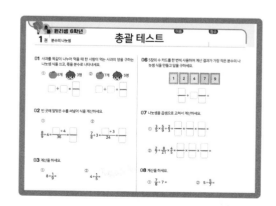

원리셈 100% 활용하기

✓ 책의 사이사이에 학생의 학습을 돕기 위한 저자의 내용을 잘 이용하세요.

📖 단원의 학습 내용과 방향

한 주차가 시작되는 쪽의 아래에 그 단원의 학습 내용과 어떤 방향으로 공부하는지를 설명해 놓았습니다.
학부모님이나 학생이 단원을 시작하기 전에 가볍게 읽어 보고 공부하도록 해 주세요.

📚 이해를 돕는 저자의 동영상 강의

처음 접하는 원리/개념과 연산 방법의 이해를 돕기 위한 동영상 강의가 있으니 이해가 어려운 내용은 QR코드를
이용하여 편리하게 동영상 강의를 보고, 공부하도록 하세요.

📒 학습 Tip   간략한 도움글은 각 쪽의 아래에 있습니다.

✏️ 천종현수학연구소 네이버 카페와 홈페이지를 활용하세요.

카페와 홈페이지에는 추가 문제 자료가 있고, 연산 외에서 수학 학습에 어려움을 상담 받을 수 있습니다.

네이버에서 천종현수학연구소를 검색하세요.

• **1**주차 •

비

두 수의 비교의 의미로서 비의 의미를 배웁니다. 3, 4일차에는 기준량과 비교하는 양을 비교하는 연습을 하고, 5일차에는 같은 상황을 여러 가지 비로 나타내는 연습을 합니다.

두 수의 비교

🐛 문제를 읽고 빈 곳에 알맞은 수를 써넣으세요.

① $12 \div 4 =$ _____

➡ 12는 4의 _____ 배, 4는 12의 _____ 배

② $15 \div 3 =$ _____

➡ 15는 3의 _____ 배, 3은 15의 _____ 배

③ $15 \div 6 =$ _____

➡ 15는 6의 _____ 배, 6은 15의 _____ 배

④ $21 \div 7 =$ _____

➡ 21은 7의 _____ 배, 7은 21의 _____ 배

⑤ $35 \div 10 =$ _____

➡ 35는 10의 _____ 배, 10은 35의 _____ 배

⑥ $48 \div 4 =$ _____

➡ 48은 4의 _____ 배, 4는 48의 _____ 배

⑦ $20 \div 5 =$ _____

➡ 20은 5의 _____ 배, 5는 20의 _____ 배

⑧ $60 \div 12 =$ _____

➡ 60은 12의 _____ 배, 12는 60의 _____ 배

⑨ $70 \div 14 =$ _____

➡ 70은 14의 _____ 배, 14는 70의 _____ 배

⑩ $90 \div 25 =$ _____

➡ 90은 25의 _____ 배, 25는 90의 _____ 배

😊 문제를 읽고 빈 곳에 알맞은 수를 써넣으세요.

① 사과 3개와 바나나 2개를 넣어 주스 1병을 만들어요.

주스의 수(병)	1	2	3	4	5	6
사과의 수(개)	3	6	9			
바나나의 수(개)	2	4	6	8		

사과의 수는 바나나의 수의 _____ 배예요.

바나나의 수는 사과의 수의 _____ 배예요.

② 여학생 4명, 남학생 2명이 모여 모둠 하나를 만들어요.

모둠의 수(개)	1	2	3	4	5	6
여학생의 수(명)	4	8	12			
남학생의 수(명)	2	4	6	8		

여학생의 수는 남학생의 수의 _____ 배예요.

남학생의 수는 여학생의 수의 _____ 배예요.

문제를 읽고 빈 곳에 알맞은 수를 써넣으세요.

① 주머니 1개에 빨간색 사탕 5개, 파란색 사탕 4개를 넣어요.

주머니의 수(개)	1	2	3	4	5	6
빨간색 사탕의 수(개)	5	10	15			
파란색 사탕의 수(개)	4	8	12	16		

빨간색 사탕의 수는 파란색 사탕의 수의 _____ 배예요.

파란색 사탕의 수는 빨간색 사탕의 수의 _____ 배예요.

② 필통 1개에 지우개가 2개, 연필이 1자루 들어 있어요.

필통의 수(개)	1	2	3	4	5	6
지우개의 수(개)	2	4	6	8		
연필의 수(자루)	1	2	3			

지우개의 수는 연필의 수의 _____ 배예요.

연필의 수는 지우개의 수의 _____ 배예요.

• 두 수를 나눗셈으로 비교하기 위해 기호 : 을 사용하여 나타낸 것을 비라고 합니다. : 의 오른쪽에 있는 수를 기준량이라 하고, 왼쪽에 있는 수를 비교하는 양이라고 합니다.

두 수 5와 3의 비교
- 5 : 3
- 5 대 3
- 3에 대한 5의 비
- 5의 3에 대한 비
- 5와 3의 비

🐝 □에 알맞은 수를 써넣으세요.

①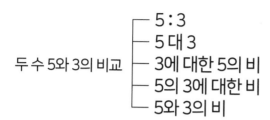

벌의 수와 나비의 수의 비 ➡ 6 : 5

나비의 수와 벌의 수의 비 ➡ ⬜ : ⬜

②

꽃의 수와 나무의 수의 비 ➡ ⬜ : ⬜

나무의 수와 꽃의 수의 비 ➡ ⬜ : ⬜

③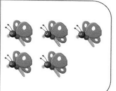

사각형의 수와 원의 수의 비 ➡ ⬜ : ⬜

원의 수와 사각형의 수의 비 ➡ ⬜ : ⬜

④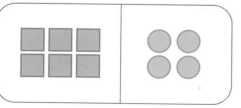

수박의 수와 사과의 수의 비 ➡ ⬜ : ⬜

사과의 수와 수박의 수의 비 ➡ ⬜ : ⬜

□에 알맞은 수를 써넣으세요.

① 4 : 5

┌ 4 대 5
├ □에 대한 □의 비
├ □의 □에 대한 비
└ □와 □의 비

② □ : □

┌ □ 대 □
├ 7에 대한 6의 비
├ □의 □에 대한 비
└ □과 □의 비

③ 4 : 3

┌ □ 대 □
├ □에 대한 □의 비
├ □의 □에 대한 비
└ □와 □의 비

④ □ : □

┌ □ 대 □
├ □에 대한 □의 비
├ 5의 2에 대한 비
└ □와 □의 비

⑤ 6 : 8

┌ □ 대 □
├ □에 대한 □의 비
├ □의 □에 대한 비
└ □과 □의 비

⑥ □ : □

┌ □ 대 □
├ □에 대한 □의 비
├ □의 □에 대한 비
└ 3과 11의 비

그림을 보고 전체에 대한 색칠된 부분의 비를 구하세요.

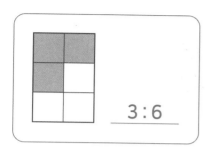 3 : 6

①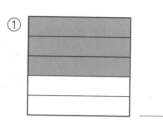

②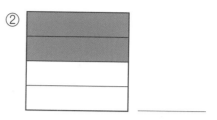

③ ____

④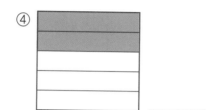

⑤ ____

⑥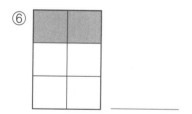

⑦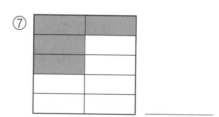

⑧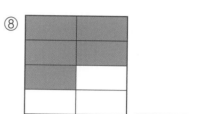

⑨

⑩ ____

⑪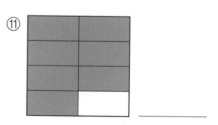

⑫ ____

⑬ ____

⑭ ____

자연수의 비

- 비는 두 수를 나눗셈으로 비교한 것이기 때문에 비를 보고 비교하는 양과 기준량이 서로에 대해 몇 배인지 비교할 수 있습니다.

$4:3$ ➡ 비교하는 양은 기준량의 $4 \div 3 = \dfrac{4}{3}$ 배

기준량은 비교하는 양의 $3 \div 4 = \dfrac{3}{4}$ 배

빈 곳에 알맞은 수를 써넣으세요.

① **4 : 5**

➡ 비교하는 양은 기준량의 _____ 배

② **7 : 4**

➡ 기준량은 비교하는 양의 _____ 배

③ **2 : 3**

➡ 비교하는 양은 기준량의 _____ 배

④ **4 : 8**

➡ 기준량은 비교하는 양의 _____ 배

⑤ **3 : 7**

➡ 비교하는 양은 기준량의 _____ 배

⑥ **4 : 9**

➡ 기준량은 비교하는 양의 _____ 배

⑦ **6 : 11**

➡ 비교하는 양은 기준량의 _____ 배

⑧ **13 : 8**

➡ 기준량은 비교하는 양의 _____ 배

문제를 읽고 빈 곳에 알맞은 수를 써넣으세요.

① ★의 ○에 대한 비는 9 : 3

➡ ★은 ○의 _____ 배, ○은 ★의 _____ 배

② ★의 ○에 대한 비는 12 : 4

➡ ★은 ○의 _____ 배, ○은 ★의 _____ 배

③ ★의 ○에 대한 비는 15 : 6

➡ ★은 ○의 _____ 배, ○은 ★의 _____ 배

④ ★의 ○에 대한 비는 18 : 3

➡ ★은 ○의 _____ 배, ○은 ★의 _____ 배

⑤ ★의 ○에 대한 비는 27 : 6

➡ ★은 ○의 _____ 배, ○은 ★의 _____ 배

⑥ ★의 ○에 대한 비는 4 : 30

➡ ★은 ○의 _____ 배, ○은 ★의 _____ 배

⑦ ★의 ○에 대한 비는 30 : 24

➡ ★은 ○의 _____ 배, ○은 ★의 _____ 배

⑧ ★의 ○에 대한 비는 5 : 35

➡ ★은 ○의 _____ 배, ○은 ★의 _____ 배

⑨ ★의 ○에 대한 비는 25 : 10

➡ ★은 ○의 _____ 배, ○은 ★의 _____ 배

⑩ ★의 ○에 대한 비는 9 : 45

➡ ★은 ○의 _____ 배, ○은 ★의 _____ 배

빈 곳에 알맞은 수를 써넣으세요.

①
11   9

➡ 초록색 막대의 길이는 파란색 막대의 _____ 배

②
5   6

➡ 파란색 막대의 길이는 초록색 막대의 _____ 배

③
6   8

➡ 초록색 막대의 길이는 파란색 막대의 _____ 배

④
20   8

➡ 초록색 막대의 길이는 파란색 막대의 _____ 배

⑤
10   18

➡ 파란색 막대의 길이는 초록색 막대의 _____ 배

⑥
36   17

➡ 초록색 막대의 길이는 파란색 막대의 _____ 배

⑦
16   6

➡ 파란색 막대의 길이는 초록색 막대의 _____ 배

⑧
9   19

➡ 초록색 막대의 길이는 파란색 막대의 _____ 배

⑨
34   22

➡ 초록색 막대의 길이는 파란색 막대의 _____ 배

- 분수, 소수의 비도 분수, 소수의 나눗셈으로 생각하여 기준량과 비교하는 양을 비교할 수 있습니다.

$$\frac{7}{6} : \frac{4}{6} \Rightarrow$$ 비교하는 양은 기준량의 $\frac{7}{6} \div \frac{4}{6} = \frac{7}{4}$ 배

기준량은 비교하는 양의 $\frac{4}{6} \div \frac{7}{6} = \frac{4}{7}$ 배

빈 곳에 알맞은 수를 써넣으세요.

① $\frac{3}{4} : \frac{2}{3}$

➡ 비교하는 양은 기준량의 _____ 배

② $\frac{2}{5} : \frac{3}{4}$

➡ 기준량은 비교하는 양의 _____ 배

③ 0.4 : 0.7

➡ 비교하는 양은 기준량의 _____ 배

④ 1.3 : 1.7

➡ 기준량은 비교하는 양의 _____ 배

⑤ $\frac{7}{8} : \frac{3}{4}$

➡ 비교하는 양은 기준량의 _____ 배

⑥ $\frac{7}{6} : \frac{14}{3}$

➡ 기준량은 비교하는 양의 _____ 배

⑦ 2.4 : 0.8

➡ 비교하는 양은 기준량의 _____ 배

⑧ 3.5 : 1.4

➡ 기준량은 비교하는 양의 _____ 배

문제를 읽고 빈 곳에 알맞은 수를 써넣으세요.

① ★의 ○에 대한 비는 $\frac{3}{4} : \frac{9}{4}$

➡ ★은 ○의 _____ 배, ○은 ★의 _____ 배

② ★의 ○에 대한 비는 $\frac{15}{3} : \frac{10}{3}$

➡ ★은 ○의 _____ 배, ○은 ★의 _____ 배

③ ★의 ○에 대한 비는 0.4 : 1.6

➡ ★은 ○의 _____ 배, ○은 ★의 _____ 배

④ ★의 ○에 대한 비는 0.7 : 6.3

➡ ★은 ○의 _____ 배, ○은 ★의 _____ 배

⑤ ★의 ○에 대한 비는 $\frac{3}{8} : \frac{9}{4}$

➡ ★은 ○의 _____ 배, ○은 ★의 _____ 배

⑥ ★의 ○에 대한 비는 $\frac{7}{6} : \frac{14}{3}$

➡ ★은 ○의 _____ 배, ○은 ★의 _____ 배

⑦ ★의 ○에 대한 비는 0.36 : 1.44

➡ ★은 ○의 _____ 배, ○은 ★의 _____ 배

⑧ ★의 ○에 대한 비는 0.5 : 5.5

➡ ★은 ○의 _____ 배, ○은 ★의 _____ 배

⑨ ★의 ○에 대한 비는 4.5 : 13.5

➡ ★은 ○의 _____ 배, ○은 ★의 _____ 배

⑩ ★의 ○에 대한 비는 1.1 : 0.11

➡ ★은 ○의 _____ 배, ○은 ★의 _____ 배

빈 곳에 알맞은 수를 써넣으세요.

①

 🛢는 🛢의 _____ 배

②

 🛢는 🛢의 _____ 배

③

 🛢는 🛢의 _____ 배

④

 🛢는 🛢의 _____ 배

⑤

 🛢는 🛢의 _____ 배

⑥

 🛢는 🛢의 _____ 배

⑦

 🛢는 🛢의 _____ 배

⑧

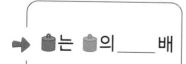 🛢는 🛢의 _____ 배

⑨

 🛢는 🛢의 _____ 배

여러 가지 비로 나타내기

개수의 비와 묶음의 수의 비를 각각 구하세요.

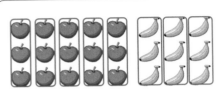 사과의 수와 바나나의 수의 비 ➡ 15 : 9

사과 묶음의 수와 바나나 묶음의 수의 비 ➡ 5 : 3

① 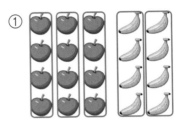 사과의 수와 바나나의 수의 비 ➡ ☐ : ☐

사과 묶음의 수와 바나나 묶음의 수의 비 ➡ ☐ : ☐

② 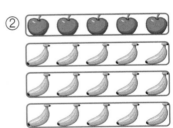 사과의 수와 바나나의 수의 비 ➡ ☐ : ☐

사과 묶음의 수와 바나나 묶음의 수의 비 ➡ ☐ : ☐

③ 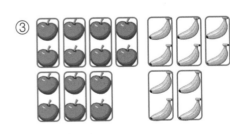 사과의 수와 바나나의 수의 비 ➡ ☐ : ☐

사과 묶음의 수와 바나나 묶음의 수의 비 ➡ ☐ : ☐

④ 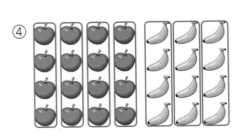 사과의 수와 바나나의 수의 비 ➡ ☐ : ☐

사과 묶음의 수와 바나나 묶음의 수의 비 ➡ ☐ : ☐

아래 모양은 위 모양의 조각들을 몇 조각씩 똑같이 나눈 것입니다. 전체에 대한 색칠된 부분의 비를 구하세요.

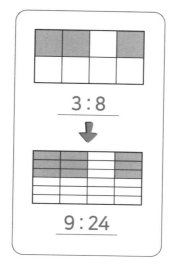

①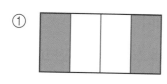

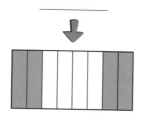

②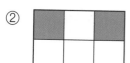

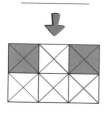

③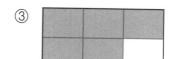

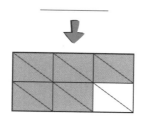

④

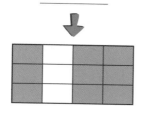

⑤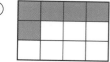

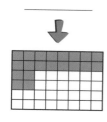

주머니에 그 주머니의 색깔과 같은 사탕을 담았습니다. 주머니의 수의 비와 사탕의 수의 비를 각각 구하세요.

① 주머니에 사탕이 3개씩 들어 있습니다.

빨간색 주머니의 수와 파란색 주머니의 수의 비 ➡ ☐ : ☐

빨간색 사탕의 수와 파란색 사탕의 수의 비 ➡ ☐ : ☐

② 주머니에 사탕을 4개씩 나누어 담았습니다.

빨간색 주머니의 수와 파란색 주머니의 수의 비 ➡ ☐ : ☐

빨간색 사탕의 수와 파란색 사탕의 수의 비 ➡ ☐ : ☐

③ 주머니에 사탕이 2개씩 들어 있습니다.

빨간색 주머니의 수와 파란색 주머니의 수의 비 ➡ ☐ : ☐

빨간색 사탕의 수와 파란색 사탕의 수의 비 ➡ ☐ : ☐

④ 주머니에 사탕을 3개씩 나누어 담았습니다.

빨간색 주머니의 수와 파란색 주머니의 수의 비 ➡ ☐ : ☐

빨간색 사탕의 수와 파란색 사탕의 수의 비 ➡ ☐ : ☐

⑤ 주머니에 사탕이 7개씩 들어 있습니다.

빨간색 주머니의 수와 파란색 주머니의 수의 비 ➡ ☐ : ☐

빨간색 사탕의 수와 파란색 사탕의 수의 비 ➡ ☐ : ☐

• 2주차 •

비와 비율

기준량과 비교하는 양 사이의 관계를 중심으로 하여 비와 비율의 관계를 배웁니다. 2, 3일 차에는 비율과 기준량, 비교하는 양 사이의 관계를 배우고, 4, 5일차에는 기준량이 몇 배가 되면 비교하는 양도 똑같이 몇 배가 되는 관계를 배웁니다.

- 기준량에 대한 비교하는 양의 크기를 비율이라고 합니다.

  (비율) = (비교하는 양) ÷ (기준량) = $\dfrac{\text{(비교하는 양)}}{\text{(기준량)}}$

- 3 : 10을 비율로 나타내면 $3 ÷ 10 = \dfrac{3}{10}$ 또는 0.3입니다.

비율을 분수로 나타내세요.

$$5 : 3 \qquad \dfrac{5}{3}$$

① 4 : 7

② 8 : 13

③ 4 : 17

④ 5 : 11

⑤ 13 : 5

⑥ 6 : 13

⑦ 25 : 12

⑧ 17 : 13

⑨ 27 : 17

⑩ 13 : 7

⑪ 8 : 11

Tip 분수를 분모가 10, 100, 1000인 분수로 고칠 수 있을 때만 비율을 소수로 나타낼 수 있습니다.

비를 비율로 나타낸 크기를 비교하고 비의 기호를 가장 큰 것부터 크기 순서대로 쓰세요.

① ㉠ 4 : 8   ㉡ 3 : 10   ㉢ 13 : 20   ㉣ 17 : 50   ➡ _____

② ㉠ 8 : 13   ㉡ 11 : 26   ㉢ 17 : 26   ㉣ 6 : 13   ➡ _____

③ ㉠ 3 : 30   ㉡ 6 : 50   ㉢ 14 : 70   ㉣ 64 : 160   ➡ _____

④ ㉠ 7 : 12   ㉡ 19 : 24   ㉢ 35 : 48   ㉣ 17 : 24   ➡ _____

⑤ ㉠ 3 : 20   ㉡ 6 : 120   ㉢ 8 : 100   ㉣ 15 : 200   ➡ _____

전체에 대한 색칠된 부분의 비율을 분수로 나타내세요.

①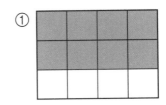

②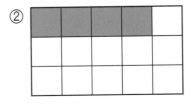

③ ____

④ ____

⑤ ____

⑥ ____

⑦ ____

⑧ ____

기준량, 비교하는 양

- 기준량과 비율을 이용해서 비교하는 양을 구할 수 있습니다.

  (기준량) × (비율) = (기준량) × $\dfrac{(비교하는\ 양)}{(기준량)}$ = (비교하는 양)

- 비교하는 양과 비율을 이용해서 기준량을 구할 수 있습니다.

  (비교하는 양) ÷ (비율) = (비교하는 양) ÷ $\dfrac{(비교하는\ 양)}{(기준량)}$ = (비교하는 양) × $\dfrac{(기준량)}{(비교하는\ 양)}$ = (기준량)

비율을 보고 비를 완성하세요.

$\dfrac{5}{4}$ ➡ 5 : 4

(비교하는 양) = $4 × \dfrac{5}{4} = 5$

0.9 ➡ 18 : 20

(기준량) = 18 ÷ 0.9 = 20

---

① 0.24 ➡ ☐ : 50

② $\dfrac{17}{20}$ ➡ 51 : ☐

③ $\dfrac{13}{12}$ ➡ ☐ : 60

④ 0.37 ➡ 111 : ☐

⑤ 0.66 ➡ ☐ : 200

⑥ $\dfrac{25}{8}$ ➡ 200 : ☐

빈 곳에 알맞은 수를 써넣으세요.

①
비율	0.35
비교하는 양	
기준량	600

②
비율	$\dfrac{4}{3}$
비교하는 양	840
기준량	

③
비율	0.7
비교하는 양	35
기준량	

④
비율	$\dfrac{3}{10}$
비교하는 양	
기준량	200

⑤
비율	$\dfrac{8}{11}$
비교하는 양	240
기준량	

⑥
비율	0.6
비교하는 양	
기준량	30

⑦
비율	0.3
비교하는 양	27
기준량	

⑧
비율	$\dfrac{3}{4}$
비교하는 양	
기준량	64

⑨
비율	1.4
비교하는 양	56
기준량	

⑩
비율	0.4
비교하는 양	
기준량	350

⑪
비율	$\dfrac{11}{9}$
비교하는 양	55
기준량	

⑫
비율	$\dfrac{12}{23}$
비교하는 양	72
기준량	

빈 곳에 알맞은 수를 써넣으세요.

①
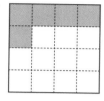

전체 넓이 : **48**

색칠된 부분의 넓이 : _____

②
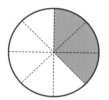

전체 넓이 : _____

색칠된 부분의 넓이 : **27**

③
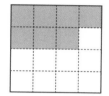

전체 넓이 : _____

색칠된 부분의 넓이 : **56**

④
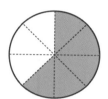

전체 넓이 : **64**

색칠된 부분의 넓이 : _____

⑤
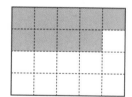

전체 넓이 : **240**

색칠된 부분의 넓이 : _____

⑥
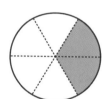

전체 넓이 : _____

색칠된 부분의 넓이 : **30**

⑦
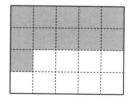

전체 넓이 : _____

색칠된 부분의 넓이 : **55**

⑧
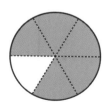

전체 넓이 : **42**

색칠된 부분의 넓이 : _____

3일

💡 문제를 읽고 빈 곳에 알맞은 수를 써넣으세요.

① 8과 ★의 비는 2 : 3

★ = _____

② 12와 ★의 비는 3 : 8

★ = _____

③ 77과 ★의 비는 7 : 8

★ = _____

④ 32와 ★의 비는 4 : 13

★ = _____

⑤ 16과 ★의 비는 4 : 7

★ = _____

⑥ 28과 ★의 비는 2 : 9

★ = _____

⑦ 36과 ★의 비는 6 : 7

★ = _____

⑧ 39와 ★의 비는 3 : 8

★ = _____

⑨ 40과 ★의 비는 5 : 13

★ = _____

⑩ 27과 ★의 비는 9 : 13

★ = _____

문제를 읽고 빈 곳에 알맞은 수를 써넣으세요.

① ◆와 15의 비는 4 : 5

◆ = _____

② ◆와 32의 비는 5 : 8

◆ = _____

③ ◆와 40의 비는 7 : 8

◆ = _____

④ ◆와 16의 비는 5 : 8

◆ = _____

⑤ ◆와 27의 비는 5 : 9

◆ = _____

⑥ ◆와 48의 비는 13 : 16

◆ = _____

⑦ ◆와 33의 비는 9 : 11

◆ = _____

⑧ ◆와 54의 비는 8 : 9

◆ = _____

⑨ ◆와 28의 비는 11 : 7

◆ = _____

⑩ ◆와 16의 비는 17 : 32

◆ = _____

🔍 문제를 읽고 빈 곳에 알맞은 수를 써넣으세요.

① ▲에 대한 32의 비율은 $\dfrac{8}{7}$

▲ = _____

② 24에 대한 ▲의 비율은 $\dfrac{5}{6}$

▲ = _____

③ ▲에 대한 80의 비율은 $\dfrac{5}{9}$

▲ = _____

④ ▲에 대한 40의 비율은 $\dfrac{5}{9}$

▲ = _____

⑤ 40에 대한 ▲의 비율은 $\dfrac{7}{8}$

▲ = _____

⑥ ▲에 대한 175의 비율은 $\dfrac{25}{16}$

▲ = _____

⑦ ▲에 대한 60의 비율은 $\dfrac{12}{17}$

▲ = _____

⑧ 39에 대한 ▲의 비율은 $\dfrac{4}{3}$

▲ = _____

⑨ 480에 대한 ▲의 비율은 $\dfrac{21}{20}$

▲ = _____

⑩ ▲에 대한 110의 비율은 $\dfrac{4}{5}$

▲ = _____

공부한날   월   일

● 분수의 분모, 분자에 같은 수를 곱하거나 나누어도 크기가 변하지 않는 것처럼, 비에서 기준량과 비교량에 같은 수를 곱하거나 나누어도 비가 나타내는 비율은 같습니다.

동영상 해설

$$15:35 \Rightarrow \frac{15}{35} = \frac{15 \div 5}{35 \div 5}$$

$$\div 5 \downarrow \quad \div 5 \downarrow$$

$$3:7 \Rightarrow \frac{3}{7}$$

$$3:7 \Rightarrow \frac{3}{7} = \frac{3 \times 5}{7 \times 5}$$

$$\times 5 \downarrow \quad \times 5 \downarrow$$

$$15:35 \Rightarrow \frac{15}{35}$$

두 비가 크기가 같은 비율을 나타내도록 □에 알맞은 수를 써넣으세요.

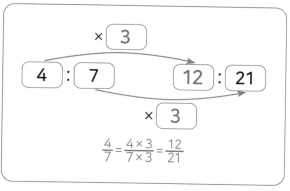

$$\frac{4}{7} = \frac{4 \times 3}{7 \times 3} = \frac{12}{21}$$

①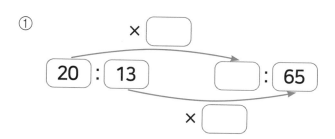

②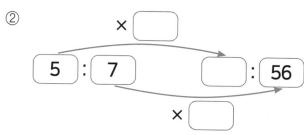

③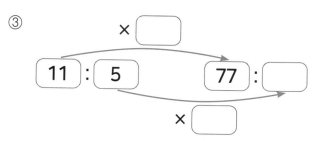

④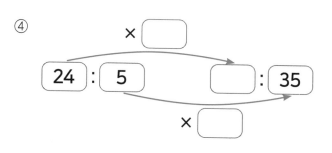

⑤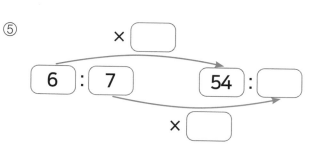

같은 줄에서 왼쪽 칸의 수에 대한 오른쪽 칸의 수의 비율이 같도록 빈 곳에 알맞은 수를 써넣으세요.

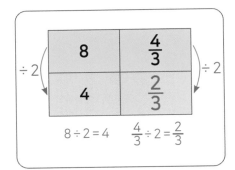

①
8	4.5
24	

②
29	30
	90

③
25	
$\frac{25}{3}$	17

④
11	23
	69

⑤
4	$\frac{25}{2}$
24	

⑥
6	13
	$\frac{13}{4}$

⑦
12	$\frac{16}{33}$
48	

🦟 문제를 읽고 답을 구하세요.

① 페인트 $\frac{5}{4}$ 통으로 벽 35 m²를 칠할 수 있습니다. 페인트 $\frac{25}{2}$ 통으로 벽을 몇 m² 칠할 수 있나요?

답: _____ m²

② 떡 한 덩어리를 만드는 데 쌀가루 $\frac{8}{15}$ 봉지가 필요합니다. 쌀가루 $2\frac{2}{3}$ 봉지로 만들 수 있는 떡은 모두 몇 덩어리인가요?

답: _____ 덩어리

③ 고무관 $\frac{10}{3}$ m의 무게가 $\frac{4}{9}$ kg입니다. 고무관 $\frac{20}{3}$ kg의 길이는 몇 m인가요?

답: _____ m

④ 휘발유 $4\frac{2}{7}$ L로 자동차가 50 km를 달립니다. 자동차가 250 km를 달리려면 휘발유가 몇 L 필요한가요?

답: _____ L

⑤ 어느 수도꼭지에서 물 $\frac{5}{8}$ L를 받는 데 45초가 걸립니다. 이 수도꼭지로 9초 동안 물을 받으면 몇 L를 받을 수 있나요?

답: _____ L

- 기준량과 비교하는 양이 몇 배씩 되었는지 찾아 계산할 수도 있고, 기준량에 몇 배를 해야 비교하는 양이 되는지 찾아 계산할 수도 있습니다.

$12 \div 4 = 3$

$$\begin{pmatrix} 12 & : & 4 \\ 24 & : & 8 \end{pmatrix}$$

$12 \times 2 = 24$　　$4 \times 2 = 8$

$24 \div 8 = 3$

비교하는 양에도 2를, 기준량에도 2를 곱했습니다.
나타내는 비율이 3으로 같습니다.

💡 두 비가 나타내는 비율의 크기가 서로 같습니다. ☐에 알맞은 수를 써넣으세요.

①
$\dfrac{16}{3}$: 6
☐ : 18

②
28 : $\dfrac{24}{5}$
7 : ☐

③
40 : $\dfrac{40}{3}$
81 : ☐

④
0.9 : 7
18 : ☐

⑤
39 : 13
$\dfrac{45}{11}$: ☐

⑥
36 : $\dfrac{40}{7}$
9 : ☐

칠판에 적은 두 비가 나타내는 비율의 크기가 서로 같습니다. □에 알맞은 수를 써넣으세요.

① 27 : □

$\dfrac{27}{5}$: 12

② □ : 35

$\dfrac{23}{10}$: 7

③ 78 : □

36 : 12

④ □ : 12

$\dfrac{11}{3}$: 2.4

⑤ 45 : □

$\dfrac{45}{4}$: 7

⑥ □ : 69

$\dfrac{30}{7}$: 23

⑦ 4.8 : □

1.2 : 3.25

⑧ □ : 29

40 : 8

✿ 문제를 읽고 답을 구하세요.

① 어떤 삼각형의 높이는 $\frac{21}{4}$, 넓이는 47입니다. 이 삼각형과 밑변의 길이는 같고 높이는 $\frac{63}{2}$인 삼각형의 넓이는 몇인가요?

답: _____

② 일정한 빠르기로 $4\frac{4}{9}$ km를 가는 데 30분이 걸렸습니다. 같은 빠르기로 $26\frac{2}{3}$ km를 가는 데 몇 분이 걸리나요?

답: _____ 분

③ 어떤 액체 $\frac{23}{6}$ mL의 무게는 $\frac{20}{7}$ g입니다. 이 액체 20 g의 양은 몇 mL인가요?

답: _____ mL

④ 가람이는 자전거를 타고 4.8분 동안 2500 m를 일정한 빠르기로 달립니다. 같은 빠르기로 가람이가 자전거를 타고 24분 동안 갈 수 있는 거리는 몇 m인가요?

답: _____ m

⑤ 휘발유 2.2 L로 자동차가 15.4 km를 달립니다. 이 자동차로 210 km를 달리는 데 필요한 휘발유는 몇 L인가요?

답: _____ L

· **3**주차 ·

도전! 계산왕

비와 비율

공부한 날	월 일
점 수	/12

💡 빈 곳에 알맞은 수를 써넣으세요.

①
비	5 : 7
비교하는 양	
기준량	28

②
비	8 : 2
비교하는 양	$\dfrac{96}{11}$
기준량	

③
비	$9 : \dfrac{26}{3}$
비교하는 양	18
기준량	

④
비	36 : 3
비교하는 양	
기준량	0.25

⑤
비	$\dfrac{8}{11} : 2$
비교하는 양	$\dfrac{32}{11}$
기준량	

⑥
비	1.2 : 3.6
비교하는 양	
기준량	30

⑦
비율	0.7
비교하는 양	28
기준량	

⑧
비율	$\dfrac{5}{11}$
비교하는 양	30
기준량	

⑨
비율	3.5
비교하는 양	14
기준량	

⑩
비율	9
비교하는 양	
기준량	30

⑪
비율	$\dfrac{12}{5}$
비교하는 양	420
기준량	

⑫
비율	$\dfrac{13}{22}$
비교하는 양	
기준량	110

비와 비율

😊 빈 곳에 알맞은 수를 써넣으세요.

①
비	8 : 40
비교하는 양	
기준량	250

②
비	5 : 38
비교하는 양	25
기준량	

③
비	9 : 3
비교하는 양	$\dfrac{78}{3}$
기준량	

④
비	19 : 6
비교하는 양	
기준량	12

⑤
비	20 : 2
비교하는 양	$\dfrac{100}{13}$
기준량	

⑥
비	1.4 : 5.7
비교하는 양	
기준량	114

⑦
비율	0.3
비교하는 양	12
기준량	

⑧
비율	$\dfrac{12}{7}$
비교하는 양	
기준량	28

⑨
비율	7.5
비교하는 양	75
기준량	

⑩
비율	4
비교하는 양	
기준량	17

⑪
비율	$\dfrac{13}{7}$
비교하는 양	39
기준량	

⑫
비율	$\dfrac{14}{5}$
비교하는 양	
기준량	20

2일 **❶**

비와 비율

🔑 빈 곳에 알맞은 수를 써넣으세요.

①

비	11 : 17
비교하는 양	
기준량	170

②

비	24 : 4
비교하는 양	$\dfrac{66}{5}$
기준량	

③

비	$3 : \dfrac{20}{7}$
비교하는 양	15
기준량	

④

비	12 : 2
비교하는 양	
기준량	37

⑤

비	$\dfrac{4}{13} : 6$
비교하는 양	$\dfrac{12}{13}$
기준량	

⑥

비	1.3 : 5.2
비교하는 양	
기준량	40

⑦

비율	1.1
비교하는 양	165
기준량	

⑧

비율	$\dfrac{13}{3}$
비교하는 양	
기준량	60

⑨

비율	2.5
비교하는 양	75
기준량	

⑩

비율	7
비교하는 양	
기준량	14

⑪

비율	$\dfrac{16}{7}$
비교하는 양	32
기준량	

⑫

비율	$\dfrac{34}{7}$
비교하는 양	
기준량	28

비와 비율

🔔 빈 곳에 알맞은 수를 써넣으세요.

①

비	3 : 21
비교하는 양	
기준량	70

②

비	5 : 38
비교하는 양	25
기준량	

③

비	16 : 2
비교하는 양	$\dfrac{64}{5}$
기준량	

④

비	17 : 8
비교하는 양	
기준량	32

⑤

비	10 : 1
비교하는 양	$\dfrac{50}{7}$
기준량	

⑥

비	3.6 : 0.9
비교하는 양	
기준량	17

⑦

비율	0.1
비교하는 양	13
기준량	

⑧

비율	$\dfrac{12}{7}$
비교하는 양	
기준량	28

⑨

비율	4.5
비교하는 양	90
기준량	

⑩

비율	7
비교하는 양	
기준량	11

⑪

비율	$\dfrac{11}{8}$
비교하는 양	165
기준량	

⑫

비율	$\dfrac{13}{4}$
비교하는 양	
기준량	40

비와 비율

빈 곳에 알맞은 수를 써넣으세요.

①
비	27 : 8
비교하는 양	
기준량	32

②
비	$7 : \dfrac{7}{5}$
비교하는 양	$\dfrac{13}{6}$
기준량	

③
비	$5 : \dfrac{8}{3}$
비교하는 양	25
기준량	

④
비	20 : 4
비교하는 양	
기준량	12

⑤
비	$\dfrac{2}{11} : 6$
비교하는 양	$\dfrac{14}{11}$
기준량	

⑥
비	5.6 : 1.7
비교하는 양	
기준량	34

⑦
비율	0.8
비교하는 양	24
기준량	

⑧
비율	$\dfrac{17}{5}$
비교하는 양	
기준량	55

⑨
비율	9.5
비교하는 양	19
기준량	

⑩
비율	3
비교하는 양	60
기준량	

⑪
비율	$\dfrac{13}{3}$
비교하는 양	39
기준량	

⑫
비율	$\dfrac{19}{5}$
비교하는 양	
기준량	25

비와 비율

빈 곳에 알맞은 수를 써넣으세요.

①
비	$\frac{4}{7} : \frac{20}{7}$
비교하는 양	
기준량	70

②
비	$13 : \frac{17}{4}$
비교하는 양	39
기준량	

③
비	$9 : 3$
비교하는 양	$\frac{26}{3}$
기준량	

④
비	$13 : 4$
비교하는 양	
기준량	32

⑤
비	$5 : 1$
비교하는 양	$\frac{100}{9}$
기준량	

⑥
비	$5.4 : 0.6$
비교하는 양	
기준량	5

⑦
비율	0.3
비교하는 양	60
기준량	

⑧
비율	$\frac{7}{12}$
비교하는 양	
기준량	60

⑨
비율	1.5
비교하는 양	7.5
기준량	

⑩
비율	8
비교하는 양	
기준량	4

⑪
비율	$\frac{13}{7}$
비교하는 양	39
기준량	

⑫
비율	$\frac{17}{6}$
비교하는 양	
기준량	24

비와 비율

🎈 빈 곳에 알맞은 수를 써넣으세요.

①

비	21 : 5
비교하는 양	
기준량	20

②

비	$\frac{35}{3} : \frac{7}{3}$
비교하는 양	50
기준량	

③

비	$8 : \frac{13}{9}$
비교하는 양	24
기준량	

④

비	25 : 5
비교하는 양	
기준량	11

⑤

비	$8 : \frac{7}{12}$
비교하는 양	16
기준량	

⑥

비	4.8 : 0.6
비교하는 양	
기준량	10

⑦

비율	0.7
비교하는 양	70
기준량	

⑧

비율	$\frac{19}{4}$
비교하는 양	
기준량	8

⑨

비율	1.2
비교하는 양	24
기준량	

⑩

비율	8
비교하는 양	40
기준량	

⑪

비율	$\frac{11}{4}$
비교하는 양	11
기준량	

⑫

비율	$\frac{16}{7}$
비교하는 양	
기준량	56

비와 비율

🔔 빈 곳에 알맞은 수를 써넣으세요.

①

비	5 : 35
비교하는 양	
기준량	49

②

비	$19 : \dfrac{19}{2}$
비교하는 양	190
기준량	

③

비	27 : 3
비교하는 양	$\dfrac{81}{5}$
기준량	

④

비	11 : 7
비교하는 양	
기준량	21

⑤

비	36 : 12
비교하는 양	$\dfrac{30}{7}$
기준량	

⑥

비	4.4 : 0.4
비교하는 양	
기준량	2

⑦

비율	0.8
비교하는 양	32
기준량	

⑧

비율	$\dfrac{11}{3}$
비교하는 양	
기준량	12

⑨

비율	1.6
비교하는 양	64
기준량	

⑩

비율	7
비교하는 양	
기준량	19

⑪

비율	$\dfrac{11}{3}$
비교하는 양	165
기준량	

⑫

비율	$\dfrac{7}{6}$
비교하는 양	
기준량	18

5일 ❶

비와 비율

빈 곳에 알맞은 수를 써넣으세요.

①
비	13 : 4
비교하는 양	
기준량	80

②
비	$\frac{14}{5} : \frac{2}{5}$
비교하는 양	42
기준량	

③
비	$\frac{15}{2} : 4$
비교하는 양	$\frac{45}{2}$
기준량	

④
비	77 : 7
비교하는 양	
기준량	12

⑤
비	$9 : \frac{11}{13}$
비교하는 양	27
기준량	

⑥
비	5.7 : 1.9
비교하는 양	
기준량	22

⑦
비율	0.3
비교하는 양	66
기준량	

⑧
비율	$\frac{17}{2}$
비교하는 양	
기준량	4

⑨
비율	2.7
비교하는 양	54
기준량	

⑩
비율	9
비교하는 양	
기준량	20

⑪
비율	$\frac{17}{2}$
비교하는 양	85
기준량	

⑫
비율	$\frac{14}{3}$
비교하는 양	
기준량	21

비와 비율

💡 빈 곳에 알맞은 수를 써넣으세요.

①
비	9 : 45
비교하는 양	
기준량	125

②
비	$11 : \dfrac{13}{5}$
비교하는 양	55
기준량	

③
비	7 : 35
비교하는 양	$\dfrac{11}{5}$
기준량	

④
비	13 : 5
비교하는 양	
기준량	25

⑤
비	30 : 6
비교하는 양	$\dfrac{60}{7}$
기준량	

⑥
비	2.8 : 0.2
비교하는 양	
기준량	5

⑦
비율	0.6
비교하는 양	24
기준량	

⑧
비율	$\dfrac{13}{5}$
비교하는 양	
기준량	25

⑨
비율	4.8
비교하는 양	24
기준량	

⑩
비율	19
비교하는 양	
기준량	5

⑪
비율	$\dfrac{13}{4}$
비교하는 양	65
기준량	

⑫
비율	$\dfrac{3}{17}$
비교하는 양	
기준량	51

· **4**주차 ·
백분율

기준량을 100으로 둔, 특수한 형태의 비율이라는 의미로 백분율을 배웁니다. 2, 3, 4일차에 걸쳐 백분율과 기준량, 비교하는 양 사이의 관계를 배웁니다.

비율과 백분율

- 기준량을 100으로 할 때의 비율을 백분율이라고 하고, 단위로는 %를 사용합니다.

동영상 해설

비율	백분율	백분율을 나타내는 방법
$\frac{3}{4} = \frac{75}{100}$ 0.75	$\frac{75}{100} \rightarrow 75\,\%$	① 기준량을 100으로 뒀을 때 비교하는 양에 %를 붙여 나타냅니다.
	$\frac{3}{4} \times 100 = 75\,\% \,(0.75 \times 100 = 75\,\%)$	② 비율에 100을 곱한 다음 %를 붙여 나타냅니다.

🎐 비율을 여러 가지 방법으로 나타냈습니다. 빈 곳에 알맞은 수를 써넣으세요.

①

분수	소수	백분율(%)
$\frac{7}{20}$		

②

분수	소수	백분율(%)
		87

③

분수	소수	백분율(%)
$\frac{14}{25}$		

④

분수	소수	백분율(%)
	0.35	

⑤

분수	소수	백분율(%)
$\frac{28}{25}$		

⑥

분수	소수	백분율(%)
		28

전체에 대한 색칠된 부분의 비율을 백분율로 나타내세요.

①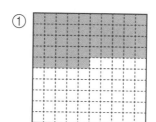

백분율 : _____

②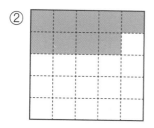

백분율 : _____

③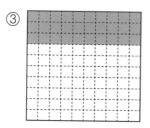

백분율 : _____

④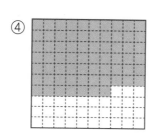

백분율 : _____

⑤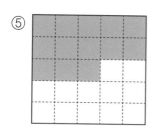

백분율 : _____

⑥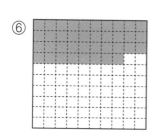

백분율 : _____

⑦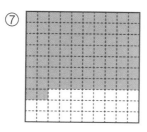

백분율 : _____

⑧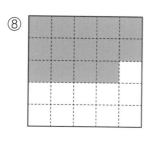

백분율 : _____

⑨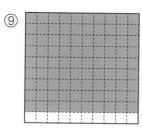

백분율 : _____

⑩

백분율 : _____

⑪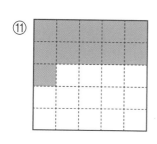

백분율 : _____

⑫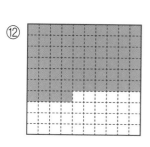

백분율 : _____

비를 백분율로 나타내세요.

① 8 : 40

백분율 : _____

② 14 : 50

백분율 : _____

③ 3 : 60

백분율 : _____

④ 9 : 45

백분율 : _____

⑤ 11 : 20

백분율 : _____

⑥ 48 : 80

백분율 : _____

⑦ 96 : 80

백분율 : _____

⑧ 100 : 80

백분율 : _____

⑨ 50 : 20

백분율 : _____

⑩ 13 : 20

백분율 : _____

⑪ 17 : 20

백분율 : _____

⑫ 30 : 100

백분율 : _____

⑬ 8 : 200

백분율 : _____

⑭ 196 : 200

백분율 : _____

⑮ 280 : 40

백분율 : _____

백분율을 보고 기준량 또는 비교하는 양을 구하여 비를 완성하세요.

---

90 % ➡ 18 : 20

$90\% = \dfrac{90}{100} \rightarrow (기준량) = 18 \div \dfrac{90}{100} = 20$

64 % ➡ 32 : 50

$64\% = \dfrac{64}{100} \rightarrow (비교하는 양) = 50 \times \dfrac{64}{100} = 32$

---

① **85 %** ➡ 17 : ⬜

② **44 %** ➡ ⬜ : 25

③ **23 %** ➡ 46 : ⬜

④ **46 %** ➡ ⬜ : 50

⑤ **38 %** ➡ 190 : ⬜

⑥ **72 %** ➡ ⬜ : 300

⑦ **75 %** ➡ 3 : ⬜

⑧ **36 %** ➡ ⬜ : 50

⑨ **12 %** ➡ 2.4 : ⬜

⑩ **30 %** ➡ ⬜ : 25

Tip
백분율도 특수한 형태의 비율이기 때문에 비율과 기준량, 비교하는 양의 관계를 이용해서 기준량 또는 비교하는 양을 구할 수 있습니다.

👆 문제를 읽고 답을 구하세요.

① 기준량 : 20,   백분율 : 60 %

　　비교하는 양 : _____

② 비교하는 양 : 24,   백분율 : 80 %

　　기준량 : _____

③ 기준량 : 80,   백분율 : 48 %

　　비교하는 양 : _____

④ 비교하는 양 : 4.8,   백분율 : 24 %

　　기준량 : _____

⑤ 기준량 : 12.5,   백분율 : 120 %

　　비교하는 양 : _____

⑥ 비교하는 양 : 90,   백분율 : 180 %

　　기준량 : _____

⑦ 기준량 : 200,   백분율 : 34 %

　　비교하는 양 : _____

⑧ 비교하는 양 : 22.5,   백분율 : 45 %

　　기준량 : _____

⑨ 기준량 : 220,   백분율 : 140 %

　　비교하는 양 : _____

⑩ 비교하는 양 : 33,   백분율 : 60 %

　　기준량 : _____

빈 곳에 알맞은 수를 써넣으세요.

기준량	비교하는 양	백분율(%)
75	60	80

$\frac{60}{\square} = 80\% = \frac{8}{10} = \frac{60}{75} \rightarrow \square = 75$

①

기준량	비교하는 양	백분율(%)
300		75

②

기준량	비교하는 양	백분율(%)
	70	35

③

기준량	비교하는 양	백분율(%)
90		90

④

기준량	비교하는 양	백분율(%)
	13.5	45

⑤

기준량	비교하는 양	백분율(%)
7		70

⑥

기준량	비교하는 양	백분율(%)
	72	160

⑦

기준량	비교하는 양	백분율(%)
75		60

⑧

기준량	비교하는 양	백분율(%)
	34	5

⑨

기준량	비교하는 양	백분율(%)
400		125

⑩

기준량	비교하는 양	백분율(%)
	90	50

⑪

기준량	비교하는 양	백분율(%)
250		120

공부한 날   월   일

□에 알맞은 수를 써넣으세요.

① ⬚의 75 %는 300

② ⬚는 500의 35 %

③ ⬚의 45 %는 90

④ ⬚은 300의 27 %

⑤ ⬚의 120 %는 60

⑥ ⬚은 700의 34 %

⑦ ⬚의 65 %는 13

⑧ ⬚는 24의 110 %

⑨ ⬚의 88 %는 220

⑩ ⬚는 12의 75 %

⑪ ⬚의 55 %는 165

⑫ ⬚은 250의 40 %

비 아래에 비를 백분율로 나타낸 수를 적었습니다. 빈 곳에 알맞은 수를 써넣으세요.

① ⬚ : 80
40 %

② 66 : ⬚
60 %

③ ⬚ : 90
70 %

④ 48 : ⬚
25 %

⑤ ⬚ : 200
39 %

⑥ ⬚ : 120
35 %

⑦ 23 : ⬚
115 %

⑧ ⬚ : 95
80 %

⑨ 48 : ⬚
80 %

⑩ ⬚ : 110
30 %

⑪ 78 : ⬚
30 %

⑫ 70 : ⬚
140 %

상자 안의 백분율은 들어가는 수에 대한 나오는 수의 비율입니다. □에 알맞은 수를 써넣으세요.

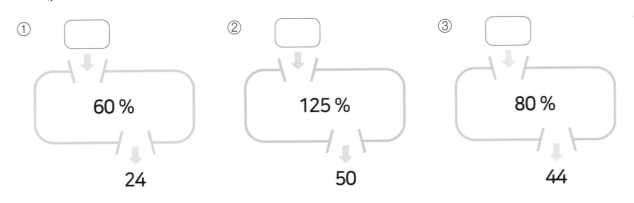

① 60 % → 24

② 125 % → 50

③ 80 % → 44

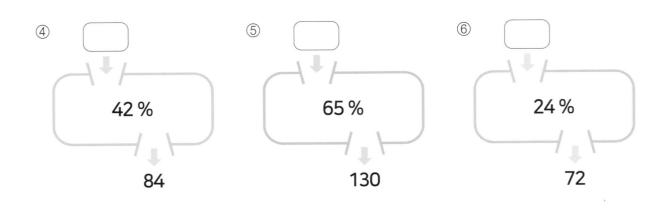

④ 42 % → 84

⑤ 65 % → 130

⑥ 24 % → 72

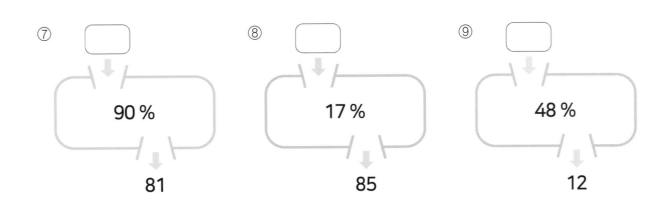

⑦ 90 % → 81

⑧ 17 % → 85

⑨ 48 % → 12

🔍 문제를 읽고 빈 곳에 알맞은 수를 써넣으세요.

① 120은 ★의 80 %

★ = _____

② 84는 ★의 120 %

★ = _____

③ 80은 ★의 200 %

★ = _____

④ 140은 ★의 70 %

★ = _____

⑤ 90은 ★의 18 %

★ = _____

⑥ 56은 ★의 80 %

★ = _____

⑦ 3.5는 ★의 70 %

★ = _____

⑧ 12.5는 ★의 50 %

★ = _____

⑨ 100은 ★의 25 %

★ = _____

⑩ 48은 ★의 400 %

★ = _____

🎵 문제를 읽고 빈 곳에 알맞은 수를 써넣으세요.

① ◆는 120의 60 %

◆ = _____

② ◆는 96의 10 %

◆ = _____

③ ◆는 8.4의 25 %

◆ = _____

④ ◆는 37.5의 100 %

◆ = _____

⑤ ◆는 96의 40 %

◆ = _____

⑥ ◆는 130의 110 %

◆ = _____

⑦ ◆는 26의 25 %

◆ = _____

⑧ ◆는 90의 130 %

◆ = _____

⑨ ◆는 15의 160 %

◆ = _____

⑩ ◆는 9.6의 25 %

◆ = _____

문제를 읽고 빈 곳에 알맞은 수를 써넣으세요.

① ▲는 80의 45 %

   ▲ = _____

② 96은 ▲의 24 %

   ▲ = _____

③ ▲는 12.8의 25 %

   ▲ = _____

④ 60은 ▲의 75 %

   ▲ = _____

⑤ ▲는 96의 40 %

   ▲ = _____

⑥ 58은 ▲의 29 %

   ▲ = _____

⑦ ▲는 55의 25 %

   ▲ = _____

⑧ 5.5는 ▲의 11 %

   ▲ = _____

⑨ ▲는 30의 160 %

   ▲ = _____

⑩ 320은 ▲의 160 %

   ▲ = _____

문제를 읽고 알맞은 답을 구하세요.

① 도서관에 책이 40권 있는데, 그중에서 동화책은 18권입니다. 동화책은 전체의 몇 %인가요?

답: _____

② 인형이 500개 있었는데, 그중에서 360개가 팔렸습니다. 판매된 인형은 전체의 몇 %인가요?

답: _____

③ 동전을 20번 던졌는데, 앞면이 6번 나왔습니다. 앞면이 나온 횟수는 전체의 몇 %인가요?

답: _____

④ 사과와 복숭아가 합하여 40개 있습니다. 그중에서 사과가 12개일 때, 복숭아의 개수는 전체의 몇 %인가요?

답: _____

⑤ 가람이가 푼 수학 문제는 모두 60문제입니다. 그중에서 57문제를 맞혔다면, 맞힌 문제의 전체 문제 수에 대한 비율은 몇 %인가요?

답: _____

❔ 문제를 읽고 알맞은 답을 구하세요.

① 어느 공장에서 운동화 400켤레를 만들었습니다. 그중에서 3 %가 불량품일 때, 불량품인 운동화는 몇 켤레인가요?

답: _____ 켤레

② 나윤이는 공을 차서 골대 안에 넣기를 합니다. 모두 32번을 골대 안에 넣었고, 성공률이 64 %일 때, 나윤이는 공을 몇 번 찼나요?

답: _____ 번

③ 어느 도시 면적의 38 %는 녹지이고, 이 도시의 녹지의 면적은 95 km²입니다. 이 도시의 면적은 몇 km²인가요?

답: _____ km²

④ 예금한 돈의 7 %를 이자로 주는 은행에 예금하여 3500원을 이자로 받았습니다. 예금한 돈은 얼마인가요?

답: _____ 원

⑤ 지아네 학교 6학년 학생 250명 중에 치킨을 좋아하는 학생의 비율은 40 %입니다. 지아네 학교 6학년 학생 중에 치킨을 좋아하는 사람은 몇 명인가요?

답: _____ 명

🐌 문제를 읽고 알맞은 답을 구하세요.

① 다정이가 가지고 있는 구슬은 모두 40개인데, 그중에서 파란색 구슬은 18개입니다. 전체 구슬 중에서 파란색 구슬의 비율은 몇 %인가요?

답: _____

② 어느 편의점에서 음료수를 모두 200개 팔았는데, 그중에서 47 %는 우유입니다. 우유는 몇 개가 팔렸나요?

답: _____ 개

③ 민지네 반 25명 중에 24 %의 학생이 여름을 가장 좋아합니다. 민지네 반에서 여름을 가장 좋아하는 학생은 몇 명인가요?

답: _____ 명

④ 세호는 이번 달 용돈의 35 %인 21000원을 저금했습니다. 세호의 이번 달 용돈은 얼마인가요?

답: _____ 원

⑤ 민호가 농구 골대에 공을 던졌는데, 모두 42번을 골대에 넣었습니다. 민호의 슛 성공률이 28 %라면 공을 몇 번 던졌나요?

답: _____ 번

5주차
비율, 백분율의 사용

여러 가지 소재로 비율, 백분율을 적용하여 연산하는 연습을 합니다. 1일차에는 속력, 인구 밀도를 통해 기준량과 비교하는 양을 비교하여 계산하는 연습을 하고, 2, 3, 4일차에는 변화하는 양을 비교하는 양으로 하는 백분율 계산 연습을 합니다.

● 속력은 걸린 시간에 대한 간 거리의 비율입니다.

(속력) = (간 거리) ÷ (걸린 시간) ➡ ┌ (간 거리) = (걸린 시간) × (속력)
                                                      └ (걸린 시간) = (간 거리) ÷ (속력)

🔑 같은 표에서 속력은 서로 같습니다. 빈 곳에 알맞은 수를 쓰세요.

① 5초에 12 m를 걸어요.

속력: 1초에 ___ m		
거리(m)	3	12	
시간(초)		5	12

② 4초에 15 m를 걸어요.

속력: 1초에 ___ m		
거리(m)	6	15	
시간(초)		4	12

③ 5분에 480 m를 달려요.

속력: 1분에 ___ m		
거리(m)	120	480	
시간(분)		5	14

④ 6분에 720 m를 달려요.

속력: 1분에 ___ m		
거리(m)	120	720	
시간(분)		6	30

⑤ 12초에 30 m를 걸어요.

속력: 1초에 ___ m		
거리(m)	10	30	
시간(초)		12	30

⑥ 18초에 45 m를 걸어요.

속력: 1초에 ___ m		
거리(m)	9	45	
시간(초)		18	24

- 인구 밀도는 넓이에 대한 인구의 비율입니다.

$$(인구 밀도) = (인구) \div (넓이) \Rightarrow \begin{cases} (인구) = (넓이) \times (인구 밀도) \\ (넓이) = (인구) \div (인구 밀도) \end{cases}$$

같은 표에서 인구 밀도는 서로 같습니다. 빈 곳에 알맞은 수를 쓰세요.

① 5 km²에 13000명이 살아요.

인구 밀도: 1 km²에 ___ 명		
넓이(km²)	3	5	
인구(명)		13000	19500

② 3 km²에 16500명이 살아요.

인구 밀도: 1 km²에 ___ 명		
넓이(km²)	1.2	3	
인구(명)		16500	33000

③ 7 km²에 16800명이 살아요.

인구 밀도: 1 km²에 ___ 명		
넓이(km²)	2.8	7	
인구(명)		16800	25200

④ 11 km²에 36300명이 살아요.

인구 밀도: 1 km²에 ___ 명		
넓이(km²)	4	11	
인구(명)		36300	66000

⑤ 9 km²에 18000명이 살아요.

인구 밀도: 1 km²에 ___ 명		
넓이(km²)	4.5	9	
인구(명)		18000	30000

⑥ 4 km²에 48000명이 살아요.

인구 밀도: 1 km²에 ___ 명		
넓이(km²)	2.2	4	
인구(명)		48000	60000

같은 표에서 속력, 또는 인구 밀도는 서로 같습니다. 빈 곳에 알맞은 수를 쓰세요.

① 8초에 20 m를 걸어요.

거리(m)	6	20	
시간(초)		8	30

② 9초에 30 m를 걸어요.

거리(m)	20	30	
시간(초)		9	33

③ 7분에 490 m를 달려요.

거리(m)	210	490	
시간(분)		7	16

④ 12분에 1080 m를 달려요.

거리(m)	900	1080	
시간(분)		12	20

⑤ 6 km^{2}에 14400명이 살아요.

넓이(km^2)	2.4	6	
인구(명)		14400	24000

⑥ 9 km^{2}에 15000명이 살아요.

넓이(km^2)	3.6	9	
인구(명)		15000	20000

⑦ 15 km^{2}에 40000명이 살아요.

넓이(km^2)	6	15	
인구(명)		40000	52000

⑧ 16 km^{2}에 24000명이 살아요.

넓이(km^2)	3.2	16	
인구(명)		24000	90000

증가율과 감소율

동영상 해설

- 양이 늘어났을 때, 늘어나기 전의 양에 대한 늘어난 양의 비율을 증가율이라고 합니다.

(증가율) = (늘어난 양) ÷ (늘어나기 전의 양) ➡ ┌ (늘어난 양) = (늘어나기 전의 양) × (증가율)
                                          └ (늘어나기 전의 양) = (늘어난 양) ÷ (증가율)

증가율을 구하세요.

> **3600 → 3960**
> ➡ 증가율 : __10__ %
> 3960 - 3600 = 360이 늘었다.
> → 360 ÷ 3600 × 100 = 10 %

① 1800 → 2160
➡ 증가율 : _____

② 3000 → 3600
➡ 증가율 : _____

③ 2600 → 3380
➡ 증가율 : _____

④ 4800 → 6960
➡ 증가율 : _____

⑤ 5700 → 7980
➡ 증가율 : _____

⑥ 6300 → 8190
➡ 증가율 : _____

⑦ 7600 → 9500
➡ 증가율 : _____

⑧ 9500 → 11875
➡ 증가율 : _____

Tip
1000에서 1200이 되었을 때 늘어난 양은 1200 - 1000 = 200입니다.

- 양이 줄었을 때, 줄어들기 전의 양에 대한 줄어든 양의 비율을 감소율이라고 합니다.

(감소율) = (줄어든 양) ÷ (줄어기들기 전의 양) ➡ ⎡ (줄어든 양) = (줄어기들기 전의 양) × (감소율)
⎣ (줄어기들기 전의 양) = (줄어든 양) ÷ (감소율)

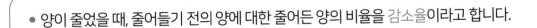 감소율을 구하세요.

2000 → 1500
➡ 감소율 : __25__ %

2000 - 1500 = 500이 줄었다.
→ 500 ÷ 2000 × 100 = 25 %

① **6000 → 4800**
➡ 감소율 : _____

② **5600 → 3920**
➡ 감소율 : _____

③ **7500 → 4500**
➡ 감소율 : _____

④ **4800 → 3600**
➡ 감소율 : _____

⑤ **9000 → 4500**
➡ 감소율 : _____

⑥ **10000 → 3700**
➡ 감소율 : _____

⑦ **3000 → 750**
➡ 감소율 : _____

⑧ **7000 → 1050**
➡ 감소율 : _____

Tip
1000에서 900이 되었을 때 줄어든 양은 1000 - 900 = 100입니다.

증가율 또는 감소율을 보고 빈 곳에 알맞은 수를 써넣으세요.

증가율 : 30 %

➡ **30000 →** <u>39000</u>

30000 × 0.3 = 9000이 늘었다.
→ 30000 + 9000 = 39000

감소율 : 20 %

➡ **40000 →** <u>32000</u>

40000 × 0.2 = 8000이 줄었다.
→ 40000 - 8000 = 32000

① 감소율 : 25 %

➡ **6000 →** _____

② 증가율 : 80 %

➡ **7800 →** _____

③ 감소율 : 30 %

➡ **4500 →** _____

④ 감소율 : 90 %

➡ **8100 →** _____

⑤ 증가율 : 30 %

➡ **3400 →** _____

⑥ 감소율 : 10 %

➡ **3000 →** _____

⑦ 증가율 : 25 %

➡ **3600 →** _____

⑧ 증가율 : 40 %

➡ **1600 →** _____

⑨ 감소율 : 40 %

➡ **5700 →** _____

⑩ 증가율 : 80 %

➡ **7500 →** _____

⑪ 감소율 : 75 %

➡ **8000 →** _____

⑫ 감소율 : 95 %

➡ **20000 →** _____

증가율 또는 감소율을 보고 빈 곳에 알맞은 수를 써넣으세요.

감소율 : 30 % ➡ 줄어들기 전의 양에 대한 줄어든 후의 양의 비율 : $\dfrac{70}{100}$ (= 0.7)

줄어들기 전의 양을 100이라 두면 줄어든 후의 양은 70이다.

→ 70 : 100 → 비율: $\dfrac{70}{100}$ (= 0.7)

증가율 : 30 % ➡ 늘어나기 전의 양에 대한 늘어난 후의 양의 비율 : $\dfrac{130}{100}$ (= 1.3)

늘어나기 전의 양을 100이라 두면 늘어난 후의 양은 130이다.

→ 130 : 100 → 비율: $\dfrac{130}{100}$ (= 1.3)

---

① 증가율 : 25 % ➡ 증가하기 전의 양에 대한 증가한 후의 양의 비율 : _____

② 감소율 : 60 % ➡ 감소하기 전의 양에 대한 감소한 후의 양의 비율 : _____

③ 증가율 : 45 % ➡ 증가하기 전의 양에 대한 증가한 후의 양의 비율 : _____

④ 감소율 : 15 % ➡ 감소하기 전의 양에 대한 감소한 후의 양의 비율 : _____

⑤ 증가율 : 80 % ➡ 증가하기 전의 양에 대한 증가한 후의 양의 비율 : _____

⑥ 증가율 : 33 % ➡ 증가하기 전의 양에 대한 증가한 후의 양의 비율 : _____

⑦ 감소율 : 17 % ➡ 감소하기 전의 양에 대한 감소한 후의 양의 비율 : _____

증가율 또는 감소율을 보고 빈 곳에 알맞은 수를 써넣으세요.

① 감소율 : 20 %
➡ _____ → 7200

② 증가율 : 30 %
➡ _____ → 10400

③ 감소율 : 40 %
➡ _____ → 2700

④ 증가율 : 50 %
➡ _____ → 5700

⑤ 감소율 : 60 %
➡ _____ → 1440

⑥ 증가율 : 70 %
➡ _____ → 16150

⑦ 감소율 : 50 %
➡ _____ → 5000

⑧ 증가율 : 40 %
➡ _____ → 4760

⑨ 감소율 : 10 %
➡ _____ → 8820

⑩ 증가율 : 90 %
➡ _____ → 6650

⑪ 감소율 : 50 %
➡ _____ → 2500

⑫ 증가율 : 30 %
➡ _____ → 2600

주어진 증가율, 감소율로 막대의 길이를 늘리거나 줄였습니다. □에 알맞은 수를 써넣으세요.

①

320

감소율 : 20 %

②

260

증가율 : 30 %

③

360

감소율 : 40 %

④

1080

증가율 : 50 %

⑤

120

감소율 : 60 %

⑥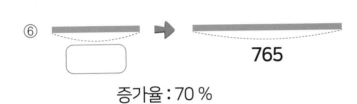

765

증가율 : 70 %

⑦

400

감소율 : 50 %

⑧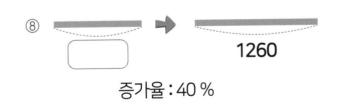

1260

증가율 : 40 %

⑨

900

감소율 : 10 %

⑩

375

증가율 : 25 %

할인율

- 물건의 정가에 대한 할인한 금액의 비율을 할인율이라고 합니다.

(할인율) = (할인 금액) ÷ (정가) ➡ ┌ (할인 금액) = (정가) × (할인율)
                                  └ (정가) = (할인 금액) ÷ (할인율)

빈 곳에 알맞은 수를 써넣으세요.

①

정가(원)	할인가(원)	할인율(%)
1500	1350	

②

정가(원)	할인가(원)	할인율(%)
	2400	20

③

정가(원)	할인가(원)	할인율(%)
6000	4200	

④

정가(원)	할인가(원)	할인율(%)
	7200	20

⑤

정가(원)	할인가(원)	할인율(%)
5000		12

⑥

정가(원)	할인가(원)	할인율(%)
8000	5600	

Tip

정가가 1000원이고 할인가가 900원이면 할인 금액은 1000 - 900 = 100원입니다.

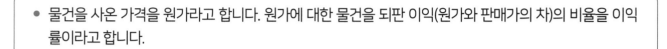

- 물건을 사온 가격을 원가라고 합니다. 원가에 대한 물건을 되판 이익(원가와 판매가의 차)의 비율을 이익률이라고 합니다.

$$(\text{이익률}) = (\text{이익}) \div (\text{원가}) \quad \Rightarrow \quad \begin{array}{l} (\text{이익}) = (\text{원가}) \times (\text{이익률}) \\ (\text{원가}) = (\text{이익}) \div (\text{이익률}) \end{array}$$

빈 곳에 알맞은 수를 써넣으세요.

①

원가(원)	판매가(원)	이익률(%)
2400	3000	

②

원가(원)	판매가(원)	이익률(%)
	7000	40

③

원가(원)	판매가(원)	이익률(%)
8000	10000	

④

원가(원)	판매가(원)	이익률(%)
	10500	50

⑤

원가(원)	판매가(원)	이익률(%)
	4800	60

⑥

원가(원)	판매가(원)	이익률(%)
2000		10

Tip

원가가 1000원이고 판매가가 1200원이면 이익은 1200 - 1000 = 200원입니다.

빈 곳에 알맞은 수를 써넣으세요.

①

정가(원)	할인가(원)	할인율(%)
3000	2100	

②

원가(원)	판매가(원)	이익률(%)
	220	10

③

정가(원)	할인가(원)	할인율(%)
600	360	

④

원가(원)	판매가(원)	이익률(%)
	8000	60

⑤

정가(원)	할인가(원)	할인율(%)
1000		50

⑥

정가(원)	할인가(원)	할인율(%)
2000	600	

⑦

원가(원)	판매가(원)	이익률(%)
500	550	

⑧

정가(원)	할인가(원)	할인율(%)
	5400	40

⑨

원가(원)	판매가(원)	이익률(%)
3000		40

⑩

정가(원)	할인가(원)	할인율(%)
3800	3040	

문제를 읽고 알맞은 답을 구하세요.

① 가영이는 자전거로 15초에 250 m씩 갑니다. 같은 속도로 가영이가 500 m를 가려면 몇 초 걸리나요?

답: _____ 초

② 15분에 42 km를 달리는 기차가 있습니다. 이 기차는 70분 동안 몇 km를 달리나요?

답: _____ km

③ 비료 공장에서 8분 동안 비료를 90 kg 생산합니다. 이 공장에서 135 kg의 비료를 생산하는 데 몇 분이 걸리나요?

답: _____ 분

④ ㉠동과 ㉡동의 인구 밀도는 같고, ㉠동의 면적은 8 km², 인구는 8400명입니다. ㉡동의 면적이 18 km²일 때, ㉡동의 인구는 몇 명인가요?

답: _____ 명

⑤ ㉢동과 ㉣동의 인구 밀도는 같고, ㉢동의 면적은 12 km², 인구는 30000명입니다. ㉣동의 인구가 50000명일 때, ㉣동의 면적은 몇 km²인가요?

답: _____ km²

🎵 문제를 읽고 알맞은 답을 구하세요.

① 옷 가게에서 정가가 32000원인 티셔츠를 할인하여 27200원에 팔고 있습니다. 이 티셔츠의 할인율은 몇 %인가요?

답: _____

② 원가가 600원인 과자를 720원에 팔고 있습니다. 이 과자의 이익률은 몇 %인가요?

답: _____

③ 편의점에서 사탕을 250원에 팔고 있습니다. 사탕의 이익률이 25 %일 때, 사탕의 원가는 얼마인가요?

답: _____ 원

④ 어느 가게에서 정가가 40000원인 가방을 35 % 할인하여 팔고 있습니다. 이 가방의 할인가는 얼마인가요?

답: _____ 원

⑤ 실내화를 18 % 할인하여 4100원에 팔고 있습니다. 실내화의 정가는 얼마인가요?

답: _____ 원

문제를 읽고 알맞은 답을 구하세요.

① ㉠동과 ㉡동의 인구 밀도는 같고, ㉠동의 면적은 15 km², 인구는 30000명입니다. ㉡동의 인구가 42000명일 때, ㉡동의 면적은 몇 km²인가요?

답: _____ km²

② 8분에 20 km를 달리는 기차가 있습니다. 이 기차는 한 시간 동안 몇 km를 달리나요?

답: _____ km

③ 서점에서 동화책을 10500원에 팔고 있습니다. 동화책의 할인율이 25 %일 때, 동화책의 정가는 얼마인가요?

답: _____ 원

④ 마트에서 물건을 5000원어치 샀는데 250원을 할인 받았습니다. 이 마트의 할인율은 몇 % 인가요?

답: _____

⑤ 문구점에서 연필을 300원에 팔고 있습니다. 연필의 이익률이 20 %일 때, 연필의 원가는 얼마인가요?

답: _____ 원

• **6**주차 •

도전! 계산왕

백분율

빈 곳에 알맞은 수를 써넣으세요.

①
기준량	비교하는 양	백분율(%)
3400		50

②
기준량	비교하는 양	백분율(%)
800	160	

③
기준량	비교하는 양	백분율(%)
	270	30

④
기준량	비교하는 양	백분율(%)
500		60

⑤
기준량	비교하는 양	백분율(%)
2000		25

⑥
기준량	비교하는 양	백분율(%)
	1500	50

⑦
기준량	비교하는 양	백분율(%)
4800	3600	

⑧
기준량	비교하는 양	백분율(%)
700		10

⑨
기준량	비교하는 양	백분율(%)
600		90

⑩
기준량	비교하는 양	백분율(%)
	240	30

⑪
기준량	비교하는 양	백분율(%)
	200	40

⑫
기준량	비교하는 양	백분율(%)
4000	600	

백분율

빈 곳에 알맞은 수를 써넣으세요.

① 감소율 : 50 %

➡ 200 → _____

② 증가율 : 30 %

➡ 300 → _____

③ 감소율 : 20 %

➡ 700 → _____

④ 감소율 : 60 %

➡ 900 → _____

⑤ 증가율 : 30 %

➡ 100 → _____

⑥ 감소율 : 15 %

➡ 1000 → _____

⑦ 감소율 : 75 %

➡ _____ → 500

⑧ 증가율 : 80 %

➡ _____ → 8100

⑨ 감소율 : 20 %

➡ _____ → 2000

⑩ 증가율 : 90 %

➡ _____ → 1140

⑪ 감소율 : 35 %

➡ _____ → 585

⑫ 증가율 : 75 %

➡ _____ → 350

백분율

🔍 빈 곳에 알맞은 수를 써넣으세요.

①
기준량	비교하는 양	백분율(%)
300		20

②
기준량	비교하는 양	백분율(%)
	450	50

③
기준량	비교하는 양	백분율(%)
300	90	

④
기준량	비교하는 양	백분율(%)
1500		60

⑤
기준량	비교하는 양	백분율(%)
	2000	50

⑥
기준량	비교하는 양	백분율(%)
2000	1200	

⑦
기준량	비교하는 양	백분율(%)
4000	400	

⑧
기준량	비교하는 양	백분율(%)
	900	90

⑨
기준량	비교하는 양	백분율(%)
	400	40

⑩
기준량	비교하는 양	백분율(%)
500		30

⑪
기준량	비교하는 양	백분율(%)
	600	15

⑫
기준량	비교하는 양	백분율(%)
1500		25

백분율

🧐 빈 곳에 알맞은 수를 써넣으세요.

① 감소율 : 60 %

➡ 700 → _____

② 증가율 : 50 %

➡ 200 → _____

③ 감소율 : 40 %

➡ 600 → _____

④ 감소율 : 10 %

➡ 900 → _____

⑤ 증가율 : 30 %

➡ 400 → _____

⑥ 감소율 : 30 %

➡ 4500 → _____

⑦ 감소율 : 60 %

➡ _____ → 1000

⑧ 증가율 : 20 %

➡ _____ → 4200

⑨ 감소율 : 80 %

➡ _____ → 160

⑩ 증가율 : 70 %

➡ _____ → 1360

⑪ 감소율 : 60 %

➡ _____ → 160

⑫ 증가율 : 50 %

➡ _____ → 900

백분율

🔍 빈 곳에 알맞은 수를 써넣으세요.

①

기준량	비교하는 양	백분율(%)
700		20

②

기준량	비교하는 양	백분율(%)
	240	40

③

기준량	비교하는 양	백분율(%)
200	120	

④

기준량	비교하는 양	백분율(%)
100	10	

⑤

기준량	비교하는 양	백분율(%)
200		30

⑥

기준량	비교하는 양	백분율(%)
	675	45

⑦

기준량	비교하는 양	백분율(%)
3000		45

⑧

기준량	비교하는 양	백분율(%)
3500		60

⑨

기준량	비교하는 양	백분율(%)
	2000	80

⑩

기준량	비교하는 양	백분율(%)
4000	1200	

⑪

기준량	비교하는 양	백분율(%)
500	150	

⑫

기준량	비교하는 양	백분율(%)
	3600	80

백분율

💡 빈 곳에 알맞은 수를 써넣으세요.

① 감소율 : 70 %

➡ 2000 → _____

② 증가율 : 40 %

➡ 3500 → _____

③ 감소율 : 10 %

➡ 1500 → _____

④ 감소율 : 30 %

➡ 300 → _____

⑤ 증가율 : 20 %

➡ 400 → _____

⑥ 감소율 : 30 %

➡ 200 → _____

⑦ 감소율 : 60 %

➡ _____ → 360

⑧ 증가율 : 20 %

➡ _____ → 480

⑨ 감소율 : 80 %

➡ _____ → 60

⑩ 증가율 : 35 %

➡ _____ → 270

⑪ 감소율 : 90 %

➡ _____ → 800

⑫ 증가율 : 80 %

➡ _____ → 1620

백분율

빈 곳에 알맞은 수를 써넣으세요.

①

기준량	비교하는 양	백분율(%)
	700	20

②

기준량	비교하는 양	백분율(%)
4500	2700	

③

기준량	비교하는 양	백분율(%)
2500	250	

④

기준량	비교하는 양	백분율(%)
100		50

⑤

기준량	비교하는 양	백분율(%)
	540	60

⑥

기준량	비교하는 양	백분율(%)
300		90

⑦

기준량	비교하는 양	백분율(%)
3000	1800	

⑧

기준량	비교하는 양	백분율(%)
	1400	70

⑨

기준량	비교하는 양	백분율(%)
2000		15

⑩

기준량	비교하는 양	백분율(%)
4000		10

⑪

기준량	비교하는 양	백분율(%)
3500	3150	

⑫

기준량	비교하는 양	백분율(%)
	1750	70

백분율

빈 곳에 알맞은 수를 써넣으세요.

① 감소율 : 80 %

➡ 800 → _____

② 증가율 : 50 %

➡ 500 → _____

③ 감소율 : 30 %

➡ 200 → _____

④ 감소율 : 80 %

➡ 2500 → _____

⑤ 증가율 : 50 %

➡ 3000 → _____

⑥ 감소율 : 30 %

➡ 1000 → _____

⑦ 감소율 : 90 %

➡ _____ → 200

⑧ 증가율 : 20 %

➡ _____ → 600

⑨ 감소율 : 90 %

➡ _____ → 350

⑩ 증가율 : 70 %

➡ _____ → 850

⑪ 감소율 : 50 %

➡ _____ → 2250

⑫ 증가율 : 20 %

➡ _____ → 1800

5일 ❶

백분율

😊 빈 곳에 알맞은 수를 써넣으세요.

①

기준량	비교하는 양	백분율(%)
	70	10

②

기준량	비교하는 양	백분율(%)
200	180	

③

기준량	비교하는 양	백분율(%)
500	475	

④

기준량	비교하는 양	백분율(%)
100		90

⑤

기준량	비교하는 양	백분율(%)
	300	60

⑥

기준량	비교하는 양	백분율(%)
4000		60

⑦

기준량	비교하는 양	백분율(%)
4500	3600	

⑧

기준량	비교하는 양	백분율(%)
	480	80

⑨

기준량	비교하는 양	백분율(%)
300		35

⑩

기준량	비교하는 양	백분율(%)
200		60

⑪

기준량	비교하는 양	백분율(%)
900	180	

⑫

기준량	비교하는 양	백분율(%)
	700	20

백분율

🤔 빈 곳에 알맞은 수를 써넣으세요.

① 감소율 : 60 %

➡ 500 → _____

② 증가율 : 40 %

➡ 400 → _____

③ 감소율 : 85 %

➡ 500 → _____

④ 감소율 : 85 %

➡ 900 → _____

⑤ 증가율 : 90 %

➡ 3500 → _____

⑥ 감소율 : 70 %

➡ 1500 → _____

⑦ 감소율 : 60 %

➡ _____ → 1400

⑧ 증가율 : 20 %

➡ _____ → 1800

⑨ 감소율 : 60 %

➡ _____ → 400

⑩ 증가율 : 15 %

➡ _____ → 2300

⑪ 감소율 : 10 %

➡ _____ → 1350

⑫ 증가율 : 40 %

➡ _____ → 4200

우리 아이 첫 수학은
유자수 가 답이다

보드마카와
붙임 딱지로
즐겁게

내 아이에게
딱 맞는
엄마표 문제

재미있게
스스로
반복학습

방송에서 화제가 된 바로 그 교재!

생각과 자신감이 커지는 유아 자신감 수학 !

방송 영상

유자수 소개 영상

실력도 탑! 재미도 탑!

사고력 수학의 으뜸!

TOP 사고력 수학

6~7세

7~8세

초1~2학년

초2~3학년

알쓸신탑 :
알아두면 쓸데있는
신비한
탑사고력 수학!

TOP사고력 3가지 Check !

직접해봐! 직접 체험하면서 할 수 있는 풍부한 활동자료

의도가 뭘까? 더욱 더 친절한 해설 예비활동 / 학부모 가이드

어려워! 어려울 때 친절한 저자 직강 QR 코드로 고고!

교과 과정
완벽 대비

초등 | 수학 전문가가
만든 연산 교재

원리셈

천종현 지음

정답

6학년 3

비와 비율

천종현수학연구소

10쪽

① 3, 3, $\frac{1}{3}$
② 5, 5, $\frac{1}{5}$
③ $\frac{5}{2}$, $\frac{5}{2}$, $\frac{2}{5}$
④ 3, 3, $\frac{1}{3}$
⑤ $\frac{7}{2}$, $\frac{7}{2}$, $\frac{2}{7}$
⑥ 12, 12, $\frac{1}{12}$
⑦ 4, 4, $\frac{1}{4}$
⑧ 5, 5, $\frac{1}{5}$
⑨ 5, 5, $\frac{1}{5}$
⑩ $\frac{18}{5}$, $\frac{18}{5}$, $\frac{5}{18}$

11쪽

① 12, 15, 18, 10, 12, $\frac{3}{2}$, $\frac{2}{3}$
② 16, 20, 24, 10, 12, 2, $\frac{1}{2}$

12쪽

① 20, 25, 30, 20, 24, $\frac{5}{4}$, $\frac{4}{5}$
② 4, 10, 12, 5, 6, 2, $\frac{1}{2}$

13쪽

① 5, 6
② 8, 3, 3, 8
③ 6, 4, 4, 6
④ 2, 5, 5, 2

14쪽

① 5, 4, 4 / 4, 5, 5
② 6, 7 / 6, 7 / 6, 7
③ 4, 3 / 3, 4 / 4, 3 / 4, 3
④ 5, 2 / 5, 2 / 2, 5 / 5, 2
⑤ 6, 8 / 8, 6 / 6, 8 / 6, 8
⑥ 3, 11 / 3, 11 / 11, 3 / 3, 11

15쪽

① 3:5 ② 2:4
③ 5:9 ④ 2:5 ⑤ 4:6
⑥ 2:6 ⑦ 4:10 ⑧ 5:8
⑨ 5:6 ⑩ 1:5 ⑪ 7:8
⑫ 1:6 ⑬ 2:10 ⑭ 3:4

16쪽

① $\frac{4}{5}$ ② $\frac{4}{7}$
③ $\frac{2}{3}$ ④ 2
⑤ $\frac{3}{7}$ ⑥ $\frac{9}{4}$
⑦ $\frac{6}{11}$ ⑧ $\frac{8}{13}$

17쪽

① 3, $\frac{1}{3}$ ② 3, $\frac{1}{3}$
③ $\frac{5}{2}$, $\frac{2}{5}$ ④ 6, $\frac{1}{6}$
⑤ $\frac{9}{2}$, $\frac{2}{9}$ ⑥ $\frac{2}{15}$, $\frac{15}{2}$
⑦ $\frac{5}{4}$, $\frac{4}{5}$ ⑧ $\frac{1}{7}$, 7
⑨ $\frac{5}{2}$, $\frac{2}{5}$ ⑩ $\frac{1}{5}$, 5

18쪽

① $\dfrac{9}{11}$

② $\dfrac{5}{6}$

③ $\dfrac{4}{3}$

④ $\dfrac{2}{5}$

⑤ $\dfrac{5}{9}$

⑥ $\dfrac{17}{36}$

⑦ $\dfrac{8}{3}$

⑧ $\dfrac{19}{9}$

⑨ $\dfrac{11}{17}$

19쪽

① $\dfrac{9}{8}$ ② $\dfrac{15}{8}$

③ $\dfrac{4}{7}$ ④ $\dfrac{17}{13}$

⑤ $\dfrac{7}{6}$ ⑥ 4

⑦ 3 ⑧ $\dfrac{2}{5}$

20쪽

① $\dfrac{1}{3}$ 3 ② $\dfrac{3}{2}$ $\dfrac{2}{3}$

③ $\dfrac{1}{4}$ 4 ④ $\dfrac{1}{9}$ 9

⑤ $\dfrac{1}{6}$ 6 ⑥ $\dfrac{1}{4}$ 4

⑦ $\dfrac{1}{4}$ 4 ⑧ $\dfrac{1}{11}$ 11

⑨ $\dfrac{1}{3}$ 3 ⑩ 10 $\dfrac{1}{10}$

21쪽

① 6 ② 4 ③ 8

④ 9 ⑤ 30 ⑥ $\dfrac{5}{2}$

⑦ $\dfrac{9}{10}$ ⑧ $\dfrac{13}{2}$ ⑨ 8

22쪽

① 12:8
3:2

② 5:15
1:3

③ 14:10
7:5

④ 16:12
4:3

23쪽

① 2:4 ② 2:6
4:8 8:24

③ 5:6 ④ 3:4 ⑤ 5:12
10:12 9:12 20:48

24쪽

① 3:4
9:12

② 4:3
16:12

③ 2:6
4:12

④ 4:5
12:15

⑤ 1:7
7:49

26쪽

① $\dfrac{4}{7}$ ② $\dfrac{8}{13}$

③ $\dfrac{4}{17}$ ④ $\dfrac{5}{11}$ ⑤ $\dfrac{13}{5}$

⑥ $\dfrac{6}{13}$ ⑦ $\dfrac{25}{12}$ ⑧ $\dfrac{17}{13}$

⑨ $\dfrac{27}{17}$ ⑩ $\dfrac{13}{7}$ ⑪ $\dfrac{8}{11}$

27쪽

① ㉢, ㉠, ㉣, ㉡

② ㉢, ㉠, ㉣, ㉡

③ ㉣, ㉢, ㉡, ㉠

④ ㉡, ㉢, ㉣, ㉠

⑤ ㉠, ㉢, ㉣, ㉡

28쪽

① $\dfrac{8}{12}\left(=\dfrac{2}{3}\right)$ ② $\dfrac{4}{15}$

③ $\dfrac{3}{8}$ ④ $\dfrac{6}{10}\left(=\dfrac{3}{5}\right)$

⑤ $\dfrac{6}{12}\left(=\dfrac{1}{2}\right)$ ⑥ $\dfrac{10}{18}\left(=\dfrac{5}{9}\right)$

⑦ $\dfrac{6}{15}\left(=\dfrac{2}{5}\right)$ ⑧ $\dfrac{9}{15}\left(=\dfrac{3}{5}\right)$

29쪽

① 12 ② 60

③ 65 ④ 300

⑤ 132 ⑥ 64

① 210　② 630　③ 50
④ 60　⑤ 330　⑥ 18
⑦ 90　⑧ 48　⑨ 40
⑩ 140　⑪ 45　⑫ 138

① 15　② 72
③ 128　④ 40
⑤ 108　⑥ 90
⑦ 100　⑧ 35

① 12　② 32
③ 88　④ 104
⑤ 28　⑥ 126
⑦ 42　⑧ 104
⑨ 104　⑩ 39

① 12　② 20
③ 35　④ 10
⑤ 15　⑥ 39
⑦ 27　⑧ 48
⑨ 44　⑩ 8.5

① 28　② 20
③ 144　④ 72
⑤ 35　⑥ 112
⑦ 85　⑧ 52
⑨ 504　⑩ 137.5

① 5　5　100
② 8　8　40
③ 7　7　35
④ 7　7　168
⑤ 9　9　63

① 13.5
② 87　③ 51
④ 33　⑤ 75
⑥ $\dfrac{3}{2}$　⑦ $\dfrac{64}{33}$

① 350
② 5
③ 50
④ $21\dfrac{3}{7}$
⑤ $\dfrac{1}{8}$

① 16　② $\dfrac{6}{5}$　③ 27
④ 140　⑤ $\dfrac{15}{11}$　⑥ $\dfrac{10}{7}$

① 60　② $\dfrac{23}{2}$
③ 26　④ $\dfrac{55}{3}$
⑤ 28　⑥ $\dfrac{90}{7}$
⑦ 13　⑧ 145

① 282
② 180
③ $\dfrac{161}{6}$
④ 12500
⑤ 30

3주차 - 도전! 계산왕

① 20　② $\dfrac{24}{11}$　③ $\dfrac{52}{3}$
④ 3　⑤ 8　⑥ 10
⑦ 40　⑧ 66　⑨ 4
⑩ 270　⑪ 175　⑫ 65

43쪽

① 50　② 190　③ $\frac{26}{3}$
④ 38　⑤ $\frac{10}{13}$　⑥ 28
⑦ 40　⑧ 48　⑨ 10
⑩ 68　⑪ 21　⑫ 56

44쪽

① 110　② $\frac{11}{5}$　③ $\frac{100}{7}$
④ 222　⑤ 18　⑥ 10
⑦ 150　⑧ 260　⑨ 30
⑩ 98　⑪ 14　⑫ 136

45쪽

① 10　② 190　③ $\frac{8}{5}$
④ 68　⑤ $\frac{5}{7}$　⑥ 68
⑦ 130　⑧ 48　⑨ 20
⑩ 77　⑪ 120　⑫ 130

46쪽

① 108　② $\frac{13}{30}$　③ $\frac{40}{3}$
④ 60　⑤ 42　⑥ 112
⑦ 30　⑧ 187　⑨ 2
⑩ 20　⑪ 9　⑫ 95

47쪽

① 14　② $\frac{51}{4}$　③ $\frac{26}{9}$
④ 104　⑤ $\frac{20}{9}$　⑥ 45
⑦ 200　⑧ 35　⑨ 5
⑩ 32　⑪ 21　⑫ 68

48쪽

① 84　② 10　③ $\frac{13}{3}$
④ 55　⑤ $\frac{7}{6}$　⑥ 80
⑦ 100　⑧ 38　⑨ 20
⑩ 5　⑪ 4　⑫ 128

49쪽

① 7　② 95　③ $\frac{9}{5}$
④ 33　⑤ $\frac{10}{7}$　⑥ 22
⑦ 40　⑧ 44　⑨ 40
⑩ 133　⑪ 45　⑫ 21

50쪽

① 260　② 6　③ 12
④ 132　⑤ $\frac{33}{13}$　⑥ 66
⑦ 220　⑧ 34　⑨ 20
⑩ 180　⑪ 10　⑫ 98

51쪽

① 25　② 13　③ 11
④ 65　⑤ $\frac{12}{7}$　⑥ 70
⑦ 40　⑧ 65　⑨ 5
⑩ 95　⑪ 20　⑫ 9

4주차 - 백분율

54쪽

① 0.35　35　② $\frac{87}{100}$　0.87
③ 0.56　56　④ $\frac{35}{100}\left(=\frac{7}{20}\right)$　35
⑤ 1.12　112　⑥ $\frac{28}{100}\left(=\frac{7}{25}\right)$　0.28

55쪽

① 45 %　② 36 %　③ 30 %
④ 67 %　⑤ 52 %　⑥ 38 %
⑦ 72 %　⑧ 56 %　⑨ 90 %
⑩ 83 %　⑪ 44 %　⑫ 64 %

56쪽

① 20 %　② 28 %　③ 5 %
④ 20 %　⑤ 55 %　⑥ 60 %
⑦ 120 %　⑧ 125 %　⑨ 250 %
⑩ 65 %　⑪ 85 %　⑫ 30 %
⑬ 4 %　⑭ 98 %　⑮ 700 %

57쪽

① 20 ② 11
③ 200 ④ 23
⑤ 500 ⑥ 216
⑦ 4 ⑧ 18
⑨ 20 ⑩ 7.5

58쪽

① 12 ② 30
③ 38.4 ④ 20
⑤ 15 ⑥ 50
⑦ 68 ⑧ 50
⑨ 308 ⑩ 55

59쪽

① 225
② 200 ③ 81
④ 30 ⑤ 4.9
⑥ 45 ⑦ 45
⑧ 680 ⑨ 500
⑩ 180 ⑪ 300

60쪽

① 400 ② 175
③ 200 ④ 81
⑤ 50 ⑥ 238
⑦ 20 ⑧ 26.4
⑨ 250 ⑩ 9
⑪ 300 ⑫ 100

61쪽

① 32 ② 110 ③ 63
④ 192 ⑤ 78 ⑥ 42
⑦ 20 ⑧ 76 ⑨ 60
⑩ 33 ⑪ 260 ⑫ 50

62쪽

① 40 ② 40 ③ 55
④ 200 ⑤ 200 ⑥ 300
⑦ 90 ⑧ 500 ⑨ 25

63쪽

① 150 ② 70
③ 40 ④ 200
⑤ 500 ⑥ 70
⑦ 5 ⑧ 25
⑨ 400 ⑩ 12

64쪽

① 72 ② 9.6
③ 2.1 ④ 37.5
⑤ 38.4 ⑥ 143
⑦ 6.5 ⑧ 117
⑨ 24 ⑩ 2.4

65쪽

① 36 ② 400
③ 3.2 ④ 80
⑤ 38.4 ⑥ 200
⑦ 13.75 ⑧ 50
⑨ 48 ⑩ 200

66쪽

① 45 %
② 72 %
③ 30 %
④ 70 %
⑤ 95 %

67쪽

① 12
② 50
③ 250
④ 50000
⑤ 100

68쪽

① 45 %
② 94
③ 6
④ 60000
⑤ 150

70쪽

① 2.4 ② 3.75
   28.8   45
   1.25   1.6

③ 96 ④ 120
   1344   3600
   1.25   1

⑤ 2.5 ⑥ 2.5
   75   60
   4   3.6

71쪽

① 2600 ② 5500
   7.5   6
   7800   6600

③ 2400 ④ 3300
   10.5   20
   6720   13200

⑤ 2000 ⑥ 12000
   15   5
   9000   26400

72쪽

① 75 ② 110
   2.4   6

③ 1120 ④ 1800
   3   10

⑤ 10 ⑥ 12
   5760   6000

⑦ 19.5 ⑧ 60
   16000   4800

73쪽

        ① 20 % ② 20 %
③ 30 % ④ 45 % ⑤ 40 %
⑥ 30 % ⑦ 25 % ⑧ 25 %

74쪽

        ① 20 % ② 30 %
③ 40 % ④ 25 % ⑤ 50 %
⑥ 63 % ⑦ 75 % ⑧ 85 %

75쪽

① 4500 ② 14040 ③ 3150
④ 810 ⑤ 4420 ⑥ 2700
⑦ 4500 ⑧ 2240 ⑨ 3420
⑩ 13500 ⑪ 2000 ⑫ 1000

76쪽

① $\frac{125}{100}$(=1.25)

② $\frac{40}{100}$(=0.4)

③ $\frac{145}{100}$(=1.45)

④ $\frac{85}{100}$(=0.85)

⑤ $\frac{180}{100}$(=1.8)

⑥ $\frac{133}{100}$(=1.33)

⑦ $\frac{83}{100}$(=0.83)

77쪽

① 9000 ② 8000 ③ 4500
④ 3800 ⑤ 3600 ⑥ 9500
⑦ 10000 ⑧ 3400 ⑨ 9800
⑩ 3500 ⑪ 5000 ⑫ 2000

78쪽

① 400 ② 200
③ 600 ④ 720
⑤ 300 ⑥ 450
⑦ 800 ⑧ 900
⑨ 1000 ⑩ 300

79쪽

① 10 ② 3000
③ 30 ④ 9000
⑤ 4400 ⑥ 30

80쪽

① 25 ② 5000
③ 25 ④ 7000
⑤ 3000 ⑥ 2200

81쪽

① 30 ② 200
③ 40 ④ 5000
⑤ 500 ⑥ 70
⑦ 10 ⑧ 9000
⑨ 4200 ⑩ 20

82쪽

① 30
② 196
③ 12
④ 18900
⑤ 20

83쪽

① 15 %
② 20 %
③ 200
④ 26000
⑤ 5000

84쪽

① 21
② 150
③ 14000
④ 5 %
⑤ 250

6주차 - 도전! 계산왕

86쪽

① 1700 ② 20
③ 900 ④ 300
⑤ 500 ⑥ 3000
⑦ 75 ⑧ 70
⑨ 540 ⑩ 800
⑪ 500 ⑫ 15

87쪽

① 100 ② 390 ③ 560
④ 360 ⑤ 130 ⑥ 850
⑦ 2000 ⑧ 4500 ⑨ 2500
⑩ 600 ⑪ 900 ⑫ 200

88쪽

① 60 ② 900
③ 30 ④ 900
⑤ 4000 ⑥ 60
⑦ 10 ⑧ 1000
⑨ 1000 ⑩ 150
⑪ 4000 ⑫ 375

89쪽

① 280 ② 300 ③ 360
④ 810 ⑤ 520 ⑥ 3150
⑦ 2500 ⑧ 3500 ⑨ 800
⑩ 800 ⑪ 400 ⑫ 600

90쪽

① 140 ② 600
③ 60 ④ 10
⑤ 60 ⑥ 1500
⑦ 1350 ⑧ 2100
⑨ 2500 ⑩ 30
⑪ 30 ⑫ 4500

91쪽

① 600 ② 4900 ③ 1350
④ 210 ⑤ 480 ⑥ 140
⑦ 900 ⑧ 400 ⑨ 300
⑩ 200 ⑪ 8000 ⑫ 900

92쪽

① 3500　② 60
③ 10　④ 50
⑤ 900　⑥ 270
⑦ 60　⑧ 2000
⑨ 300　⑩ 400
⑪ 90　⑫ 2500

93쪽

① 160　② 750　③ 140
④ 500　⑤ 4500　⑥ 700
⑦ 2000　⑧ 500　⑨ 3500
⑩ 500　⑪ 4500　⑫ 1500

94쪽

① 700　② 90
③ 95　④ 90
⑤ 500　⑥ 2400
⑦ 80　⑧ 600
⑨ 105　⑩ 120
⑪ 20　⑫ 3500

95쪽

① 200　② 560　③ 75
④ 135　⑤ 6650　⑥ 450
⑦ 3500　⑧ 1500　⑨ 1000
⑩ 2000　⑪ 1500　⑫ 3000

총괄 테스트

초등 원리셈 6학년
3권 비와 비율

이름 / 점수

01 그림을 보고 전체에 대한 색칠된 부분의 비를 구하세요.
① 4:9
② 7:10

02 빈 곳에 알맞은 수를 써넣으세요.
① 4:7 → 비교하는 양은 기준량의 $\frac{4}{7}$ 배
② 2:12 → 기준량은 비교하는 양의 6 배

03 비율을 분수로 나타내세요.
① 3:14 → $\frac{3}{14}$
② 11:9 → $\frac{11}{9}$
③ 5:13 → $\frac{5}{13}$
④ 4:17 → $\frac{4}{17}$

04 빈 곳에 알맞은 수를 써넣으세요.
① 전체 넓이: 64, 색칠된 부분의 넓이: 28
② 전체 넓이: 96, 색칠된 부분의 넓이: 36

05 빈 곳에 알맞은 수를 써넣으세요.

① 비	8:11
비교하는 양	32
기준량	44

② 비	9:11
비교하는 양	$\frac{45}{11}$
기준량	5

06 빈 곳에 알맞은 수를 써넣으세요.

① 기준량	비교하는 양	백분율(%)
200	176	88

② 기준량	비교하는 양	백분율(%)
60	9	15

07 증가율 또는 감소율을 구하세요.
① 1600 → 1840 증가율:15%
② 1200 → 1500 증가율:25%
③ 4400 → 3300 감소율:25%
④ 5000 → 4200 감소율:16%

08 빈 곳에 알맞은 수를 써넣으세요.

① 기준량	비교하는 양	백분율(%)
4800	1200	25

② 기준량	비교하는 양	백분율(%)
800	160	20

09 문제를 읽고 답을 구하세요.
① 감소율:40% 300 → 180
② 증가율:45% 200 → 290
③ 감소율:80% 2000 → 400
④ 증가율:40% 3000 → 4200

10 어느 가게에서 장가가 5000원인 인형을 20% 할인하여 팔고 있습니다. 다.이 인형의 할인가는 얼마인가요?
답: 4000 원

총괄 테스트

11 빈 곳에 알맞은 수를 써넣으세요.
① 20 16 4 → 초록색 막대의 길이는 파란색 막대의 $\frac{4}{5}$ 배
② 11 13 → 파란색 막대의 길이는 초록색 막대의 $\frac{11}{13}$ 배

12 빈 곳에 알맞은 수를 써넣으세요.
① 24:3 → 비교하는 양은 기준량의 8 배
② 6:18 → 기준량은 비교하는 양의 3 배

13 비율을 분수로 나타내세요.
① 4:11 → $\frac{4}{11}$
② 14:5 → $\frac{14}{5}$
③ 9:17 → $\frac{9}{17}$
④ 8:7 → $\frac{8}{7}$

14 빈 곳에 알맞은 수를 써넣으세요.
① 전체 넓이: 48, 색칠된 부분의 넓이: 32
②  전체 넓이: 120, 색칠된 부분의 넓이: 75

15 빈 곳에 알맞은 수를 써넣으세요.

① 비	9:7
비교하는 양	45
기준량	35

② 비	13:7
비교하는 양	3.9
기준량	2.1

16 빈 곳에 알맞은 수를 써넣으세요.

① 기준량	비교하는 양	백분율(%)
150	69	46

② 기준량	비교하는 양	백분율(%)
75	63	84

17 증가율 또는 감소율을 구하세요.
① 1700 → 1785 증가율:5%
② 500 → 750 증가율:50%
③ 3600 → 2340 감소율:35%
④ 7000 → 5600 감소율:20%

18 같은 표에서 같은 속력 또는 인구 밀도를 서로 같습니다. 빈 곳에 알맞은 수를 써넣으세요.

① 8초에 30m를 걸어요.

거리(m)	22.5	45
시간(초)	6	12

② 8 km²에 1000명이 살아요.

넓이(km²)	6	9
인구(명)	750	1125

19 문제를 읽고 답을 구하세요.
① 감소율:35% 360 → 234
② 증가율:48% 150 → 222
③ 감소율:70% 1500 → 450
④ 증가율:30% 1300 → 1690

20 편의점에서 과자를 780원에 팔고 있습니다. 과자의 이익률이 30%일 때, 과자의 원가는 얼마인가요?
답: 600 원

초등 | 수학 전문가가
만든 연산 교재
원리셈

원리
이해

다양한
계산 방법

충분한
연습

성취도
확인